D0510004

# Norteamérica con acento hispano

Alberto Moncada

# Norteamérica con acento hispano

Avda. de los Reyes Católicos, 4. 28003 Madrid
I.S.B.N.: 84-7232-468-0
N.I.P.O.: 026-88-023-5
Depósito legal: M-39984-1988
Imprime: EGRAF, S. A.
Compone: COE, S. A.
Printed in Spain

# Indice

Pág.

# Introducción

Casi antes de terminar «La americanización de los hispanos» (Plaza & Janés, 1986) ya sabía yo que tendría que aplicarme a engendrar su complemento. El material que iba reuniendo, las conversaciones aquí y allá, reflejaban esa dialéctica entre las dos culturas del continente que hoy dialogan, se hostilizan y se funden, sobre todo, en el Sur de los Estados Unidos.

La cultura americana, desembarcada en la costa Este en su forma inicial de anglosajonia emigrante, iba a tardar poco tiempo en convertirse en ideología hegemónica del Nuevo Mundo. La cultura hispana, utilizada primero como arma de persuasión por los conquistadores ibéricos, ha ido perdiendo su monolitismo a lo largo de cuatro siglos de un peculiar mestizaje.

En «La americanización de los hispanos», he dado cuenta de la contundencia con que la cultura anglo, transformada en la cultura del Imperio, condiciona la cultura hispana, e incluso quebranta algunos de sus más viejos sillares. En este ensayo se trata de averiguar la fuerza con la que lo hispano penetra lo americano y de vislumbrar las cosas que están pasando en el Imperio, en cuanto contabilizables, en alguna medida, a esa influencia.

Sociólogos, antropólogos, periodistas, no cesamos de observar fascinados el nuevo escenario americano, y no pasa un día sin que un libro, un artículo, un reportaje radiofónico o televisivo, deje de levantar acta de las cosas que hacen los hispanos de América, de las reacciones anglo ante ellas, de la ambivalencia con que unos y otros tratan de interpretar lo que hasta ahora era básicamente un encuentro entre patronos y obreros al norte del Río Grande y una relación hegemónica al Sur.

Resulta hoy bastante díficil proseguir los relatos costumbristas del gringo extasiado ante la comida o la música hispana o del joven latino domesticado por el bienestar norteño. Aquellos manuales para hablar con el servicio doméstico con los que las señoras californianas decimonónicas se familiarizaban con el idioma de sus criadas resultan hoy tan pueriles como los arrebatos antinorteamericanos de los jóvenes criollos antes de entrar en la domesticación burguesa. Ambas culturas han madurado y se defienden contra sus propios epígonos extremistas, a la vez que las vanguardias más lúcidas tratan de encontrar sentido a una fórmula de convivencia en la que los corolarios culturales de la dominación económica no sean tan contundentes como ésta e incluso influyan en su modificación.

El inventario de los credos y anatemas, de los vicios y virtudes que los unos predican de los otros, y que resumí en el libro precedente, está dando paso, sobre todo en esas dos mil millas de frontera, a un rico paisaje cultural, a un nuevo «melting pot» en el que la fragua ya no produce, como querían los primeros diseñadores del artefacto, un modelo único de americano, copias de un mismo prototipo, sino un arco iris antropológico apoyado, por un lado, en la fe democrática y, por otro, en la incombustible esperanza americana.

# I. Americanización Frente a Hispanización

Dos años después de la Olimpiada de los Angeles, que entronizó un chauvinismo deportivo, advertible tanto en los estadios como en las ondas radiotelevisivas, y coincidiendo con la reelección del Presidente Reagan, se produjeron dos hechos legales de notable importancia para el suroeste de los Estados Unidos. Uno fue la ley de inmigración Simpson Rodino, que trata de racionalizar la marea demográfica en la frontera sur. El otro la proposición 63 por la que los electores de California refrendaron la tesis de que el inglés debe ser el idioma oficial del Estado.

Ambas medidas tienen tradición en el país. La emigración ha sido frecuentemente regulada desde 1882 para acomodarla a las necesidades de la mano de obra y a las filias y fobias anglo. Y, en 1879 en la misma California, y en los años veinte, en aproximadamente otros veinte estados, se aprobaron o se intentó aprobar medidas favorecedoras del «English only», sobre todo, en la escuela pública.

Lo que hace distinta la situación actual es que el destinatario de las medidas es un sólo pueblo, una sola minoría, los hispanos.

Abundantes referencias bibliográficas, cientos de entrevistas en la prensa, en la radio, en la televisión, docenas de debates, dan prueba de la virulencia de una confrontación que tiene, del lado anglo, pesos pesados de la categoría de Gore Vidal, Saul Bellow y Walter Cronkite.

¿Por qué? «La emigración es un tema más económico, pero el lingüístico es simbólico, emocional» —comenta un antropólogo chicano— «Que un anglo se ve rodeado, en Los Angeles, en Nueva York, en Miami, de voces y signos hispanos, que le resulte a veces difícil desenvolverse en determinadas circunstancias, en su propio país, puede llegar a enfurecerle. Y de ahí a la racionalización intelectual hay sólo un paso».

Efectivamente, entre otros, el ideólogo conservador George F. Will (Newsweek, 8 julio de 1985) afirma que el Gobierno, en su obligación de proteger el interés general, debe promover la existencia de un lenguaje común, incluso de una cultura común, que es la de los padres fundadores.

Sin embargo, los hispanos son conscientes de que, sin saber inglés, no se puede salir adelante en Estados Unidos. Pocos de entre ellos solicitan el bilingüismo oficial sino un cierto apoyo a las peculiaridades de su condición, especialmente de los niños, de los pobres, de los recién llegados. Y entienden, también la mayoría, que el esfuerzo por preservar la lengua, la cultura propias, no debe ser obligación de los poderes públicos. O es una afirmación espontánea o no es nada.

En la posición anglo existen también componentes de un chauvinismo que no es sino la otra cara de la inseguridad psicológica. Y, asimismo, allí se dan cita los patriotismos peculiares de la emigración, de ser más anglo que los anglos, simbolizado en la postura del senador Hayakawa, que ha encontrado un nuevo sentido a su vida, presidiendo el lobby del Us. English. Dominar otro idioma, ser capaz de sufrir ese lento acomodo interno de tu memoria, de tus reflejos, llenarte de los símbolos y de las peculiaridades de otra cultura, es a la vez tan duro y tan gratificante que muchos nuevos americanos llegan a una exaltación personal del idioma tan ásperamente conquistado y funden sus emociones con los provincianismos de la América profunda.

Porque un trazo muy peculiar del país es el haber estado, por mucho tiempo, de espaldas al exterior, ensimismado en su aventura doméstica. Sólo las guerras mundiales, y a su través, el comercio exterior, rompieron ese aislamiento. A muchos americanos les cuesta entender que haya comunidades multilingüísticas como Suiza y, en esta etapa imperial, son tantos los ciudadanos del mundo que hablan inglés, que se refuerza esa pereza congénita, esa unidimensionalidad cultural. «Y eso que se trata de una nación de emigrantes» —comenta una filósofa francesa—. Quizá por ello. Quizá aquel melting pot de la escuela pública y aquellas estrictas regulaciones lingüísticas de los grandes acontecimientos demográficos del siglo pasado no eran sino la preocupación por conseguir el «de pluribus unum» que anhelaban los legisladores de la primera hora de la joven república.

El conflicto emocional, la dialéctica argumental, van a seguir estando presentes en un país cuyo pasado y cuya estructura social impiden solventar esos conflictos por la vía del fiat político. La historia de las anexiones a la

Unión, los modos como el sistema productivo resuelve sus necesidades de mano de obra, la específica situación geográfica del país, la misma ideología aperturista y democrática de la nación, proscriben las soluciones simples. La complejidad del caso tiene, al menos, cuatro factores.

# 1. La fuerza del pasado

Una característica, ampliamente voceada, de la cultura común norteamericana, es su énfasis en el presente. Se dice que el deseo de olvidar el pasado forma parte de la mentalidad del emigrante, de esos hombres y mujeres que, generalmente, dejan tras de sí un trozo poco grato de su biografía. El emigrante necesita, además, quemar etapas para su inserción psicológica en el nuevo país y tiende a emborracharse de lo nuevo, a vivir para el hoy. Pero, además, la civilización de la oportunidad individual, de la afirmación personal, está escrita en tiempo de presente. Hombres y mujeres del Nuevo Mundo se afanan en el hoy de sus vidas, sin volver la mirada atrás, invocando en todo caso el pasado como contrapunto doloroso de un futuro prometedor. La cultura contemporánea premia la gratificación instantánea sobre la demora de la gratificación. Todo, pues, conspira para que al norteamericano le cueste trabajo considerar la fuerza del pasado sobre nuestro presente, el condicionamiento histórico de nuestra vida personal y colectiva. Para ellos lo importante es cómo soy capaz de protagonizar mi aventura, cómo hacerme con el timón de mi biografía.

Esta circunstancia psicológica explica también, en parte, el pragmatismo con el que la población acepta los cambios de rumbo políticos, las alteraciones económicas. Todo se justifica si enriquece el presente, no hay por qué aplicar las recetas del pasado que no funcionen hoy.

Y, sin embargo, la historia está ahí y, en nuestro caso, desde la toponimia de lugares y apellidos, hasta tantas fórmulas de relación personal, lo hispano posee una avasalladora presencia en el Sur, fruto de la contundencia de unos hechos que no pueden desvanecerse en el aire de la contemporaneidad. Diez años después de que Ponce de León llegara a la Florida, se fundó, en 1523, la ciudad de San Miguel de Guadalupe, el primer asentamiento europeo en Norteamérica. Habría que esperar casi un siglo, hasta 1608, para que se produjera el primer asentamiento inglés, en Jamestown y, para cuando los padres fundadores, los peregrinos, desembarcaron del Mayflower, en 1620, ya estaba organizado el imperio español, con ciudades, parroquias y fuertes desde San Agustín en Florida a la misión de Chesapeake fundada por los jesuitas en 1570. De hecho el desembarco del Mayflower casi coincide con la construcción del palacio del gobernador español de Santa Fé, la capital de Nuevo México. Fueron los españoles los que introdujeron la fauna y la flora europeas. Desde el ganado al azúcar, del gallo al trigo, tantos típicos ingredientes de la comida americana arribaron en los galeones españoles.

Los grandes acontecimientos migratorios del siglo XIX fueron un movimiento hacia el oeste con origen en Europa. Debido a las mejores condiciones higiénicas y alimenticias, la población europea se duplicó desde 1750 a 1850. Sin embargo, la Revolución industrial, y especialmente la mecanización agrícola y la supresión de la propiedad comunal, causaron un notable desempleo que empujó al mar a cientos de miles. Los barcos a vapor, por otra parte, hacían más corta y segura la travesía. La emigración por el Atlántico Norte, los europeos no latinos, los irlandeses, británicos, alemanes, triplicó la del Atlántico Sur de modo que, desde 1802, con la compra de la Luisiana francesa, se abrieron a los nuevos americanos territorios al Sur y al Oeste que estaban casi despoblados. Un factor adicional a la estampida hacia el Suroeste lo constituía la condición mayoritariamente campesina de los emigrantes, que no encontraban acomodo en la costa Este y fueron buscando el modo de vida que les era familiar.

A lo largo de veinte, treinta años, una gran cantidad de labradores americanos se habían asentado en tierras mejicanas, antaño españolas, bajo la mirada benevolente de unas autoridades que recibían de buen grado a tan duros trabajadores. Este primer impacto no fue necesariamente conflictivo. Americanos e hispanos convivían bajo un sistema político lejano, flexible y laxo. Las tensiones del propio México y la emigración promovida por la fiebre del oro rompieron aquel primer equilibrio y el Tratado de Guadalupe Hidalgo de 1848 saldó una guerra que supuso la anexión americana de Texas, Nuevo México y California. Pero ni siquiera ese acontecimiento rompió la biculturalidad de la zona. El propio tratado garantizaba la propiedad y la lengua de los oriundos hispanos y la fisonomía arquitectónica continuaba bajo el influjo del estilo colonial español. Sólo la codicia de las grandes compañías y la aspereza de los forajidos de ambas razas erosionaban la convivencia pacífica de gentes unidas por el amor a la tierra y el cultivo de las virtudes de hospitalidad y solidaridad tradicionales en los Sures. El siglo veinte presenciaría la ruptura de esa armonía.

La fuerza sostenida de la emigración europea, con casi nueve millones sólo en la primera década del siglo, saturaba los asentamientos americanos y sólo la Depresión de los años treinta suavizó la corriente migratoria. Sin embargo, por aquellas fechas, empezaría la presión hacia arriba de la población mejicana debida a su demografía rampante y a las luchas políticas. El Río Bravo comenzó a ser cruzado por los primeros espaldas mojadas que buscaban trabajo entre sus primos y en las ya bien asentadas explotaciones agrícolas y ganaderas de las compañías americanas.

Pero el acontecimiento principal sería la segunda guerra mundial y sus consecuencias.

La movilización militar despobló la agricultura sureña que, para entonces, ya tenía, en California, en Florida, sus más primorosos frutos. Un acuerdo entre gobiernos permitió la estancia temporal de braceros mejicanos para sustituir a los combatientes y muchos de ellos no tenían prisa en volver, y menos, de forma definitiva. Los granjeros y terratenientes empezaban a acostumbrarse a aquella mano de obra, más barata, menor protegida y, para cuando volvieron los veteranos de la guerra, les fueron ofrecidas ayudas para conseguir estudios y empleos que les empujaban fuera de la tierra, a las ciudades.

Los sindicatos tomaron, sin embargo, cartas en el asunto, y con motivo de la recesión de la primera mitad de los años cincuenta, entre unos y otros, forzaron la operación Wetback, que deportó a más de dos millones de mejicanos, algunos de ellos nacidos en los Estados Unidos.

Pero la marca hispana era ya muy profunda en la zona e incluso, por razones distintas, puertorriqueños en la costa Este y cubanos en Florida seguían añadiendo el toque latino a la población, favorecido por la enesima ley de emigración, la de Johnson de 1965 que, esta vez, rompía el viejo privilegio a favor de los europeos.

De esta manera, lo que había sido la huella hispana de los nuevos territorios americanos cobra nueva vida y se convierte en comportamiento cotidiano que no permite a los anglos olvidar el inmediato pasado de esas zonas. Ya no son sólo hombres, monumentos, estilos arquitectónicos. Es la algarabía de plazas y escuelas, es la salsa que compite con el rock en las esquinas, durante las noches calientes del verano, son los mil y uno acomodos biculturales como el spanglish o la comida mixta y si, para muchos, para la mayoría de los anglos, esto añade peso y color a la parva historia de un país de emigrantes, para algunos es una humillación o, quizá, un esfuerzo suplementario en tu propia tierra, algo que no todos están dispuestos a conceder graciosamente.

## 2. El espacio imperial

Al final del siglo XIX se produjo un salto cualitativo en los afanes gubernamentales y en la actividad mercantil. Por una parte, la emigración no cesaba. Los italianos, expulsados de su península por una hambruna parecida a la de la patata irlandesa, arribaban por miles a la costa este. Y no eran los únicos. Se hacía necesario empujar, buscar nuevas fronteras y expansión para la producción manufacturera de Pitsburg, de Filadelfia, de Detroit. Corrían vientos de darwinismo social, de la ley del más fuerte y empezaron a diseñarse, en la opinión pública y entre los políticos, ideas y planes de engrandecimiento. La doctrina Monroe, el marcar límites a los europeos, ya no bastaba y la rebelión cubana contra España proporcionó la ocasión. William Hearst, hablaba desde sus periódicos del destino manifiesto, de la vocación pacificadora del hombre blanco. Los presidentes McKinley y Roosevelt fueron sus primeros conversos y, en 1898, se inició una aventura imperial de doble signo. Por una parte, el dominio americano saltó al mar y se afianzó en el Caribe, Cuba, Puerto Rico y Guam y en Asia, Filipinas. Por otra, compañías americanas tomaron, por las buenas o por las malas, la posición europea, preferentemente inglesa, en el desarrollo minero, agrícola e industrial de América Latina, con el apoyo militar y político de Washington. El símbolo más visible de todo ello fue la instalación de la república panameña y la apertura del canal, bajo control norteamericano, en 1914.

La historia posterior del dominio eminente de Washington sobre América Latina está contada tanto en relatos políticos, como militares y mercantiles, con sangre y con cifras contables. Las propiedades americanas, directas o por intermediario, desde las repúblicas bananeras de América Central y el Caribe hasta la Tierra de Fuego, dictaban la política local y una renovada oligarquía hacía sus pactos con el Norte, proporcionando mediación, favor político y disciplina laboral a cambio de una cuasi ciudadanía. Furon, son, los capataces de la americanización del Sur. El espacio imperial se ensanchó y por él circulaba ese americano seguro de sí mismo, que iba y venía de Nueva York a Managua, de Los Angeles a México, de Miami a Caracas o Lima, construyendo una dependencia económica que pronto se hizo también cultural, y popularizando el modelo de vida de la clase media norteamericana. Su clientela era ese nuevo segmento de la población latina constituida por los empleados, los militares, la naciente burguesía urbana.

Y salvo el breve período de doctrina cepalina, de reivindicación nacional en favor de una industrialización indígena, el capital, la tecnología y las mercancías —materias primas de sur a norte, manufacturas de Norte a Sur— circularon por el espacio imperial sin que, hasta la fecha, se vislumbre un cambio de signo sustancial del modelo.

«Se ha convertido en una segunda naturaleza —confiesa un comerciante venezolano—. La clase media de aquí considera que no ha llegado a su status si no puede consumir lo americano y viajar a Miami cada cierto tiempo. Y aunque ya se producen cosas muy buenas nuestras, hay gentes que ni la comida local quieren comprar y se hartan de conservas gringas.»

El espacio imperial sirve también para encauzar otros tráficos. Los latinoamericanos se saben, en último término, ciudadanos de Washington, y han comprendido que tener sus ahorros en dólares es una consecuencia de ello. De esta manera tan natural, el producto del esfuerzo y la habilidad sureña se acumula monetariamente en el Norte y no hay manera de que la contabilidad de inversiones o ayudas Norte o Sur pueda compensar el flujo de capitales al centro del imperio. Pero el tráfico más contundente lo constituye hoy la marea humana que busca fortuna y trabajo en las zonas norteñas del imperio cuando en las sureñas las cosas no van bien, y que cree que las fronteras interiores al espacio imperial no deben se obstáculo para su personal singladura. En el fondo de su corazón, los latinoamericanos sospechan que casi todas las cosas buenas o malas que les ocurren tienen su origen en el dominio eminente norteamericano y, por consiguiente, se consideran legitimados para recorrer todas las Américas.

«Muchos se comportan —sostiene un antropólogo mejicano— como si tuvieran un derecho personal a acomodar sus vidas a ese espacio mayor y a no obedecer las estrechas leyes de las nacionalidades y hacen compatible un patriotismo localista, sentimental, con un indudable realismo biográfico. Tanto los pobres como los ricos.»

El Norte hegemónico es estructuralmente incapaz de oponerse a tales planteamientos y, aunque por diversas razones, pretende racionalizar los intercambios norte-sur e incluso la marea humana, el «cives americanum» del Sur juega a los juegos, legales o ilegales, que están sobre la mesa y aprovecha todos los resquicios, con o sin la complicidad norteña, para afirmar su peculiar aprovechamiento del dominio eminente.

Las gentes sureñas saben que el grado de soberanía de sus pueblos está muy condicionado y que los términos de los intercambios están dictados desde arriba. ¿Cómo sacarles el mejor partido? Una fórmula es constituirse en la conexión local de esa cadena de mando que organiza los flujos financieros, industriales y comerciales del imperio y cuyo paradigma humano es el ejecutivo latinoamericano al servicio de multinacional. Pero otra es marcharse al corazón del espacio común y buscar el beneficio añadido de ser pobre en la zona más rica.

«O ambas cosas —afirma el antropólogo—. Muchos emigrantes al norte lo son de manera temporal. Van y vienen y tienen sus economías y biografías escindidas en dos capítulos, el de ganar y el de gastar la plata. Lo hacen de manera habitual, acomodándose a las circunstancias que ellos no pueden controlar y sacándoles el máximo provecho.»

El espacio imperial tiene, pues, una dimensión demográfica, que se hace patente en las zonas norteñas que antaño fueron hispanas. Los hispanos de California, de Tejas, de Nuevo México, de la Florida, reciben a sus hermanos y primos con la naturalidad que da el aire de familia, con la convicción de que la frontera, es, en el mejor de los casos, un artificio a explotar. El tráfico interior al mundo hispano, las conexiones, alianzas y mafias de toda condición y finalidad, utiliza en su beneficio el espacio imperial y tiene hoy una versión siniestra constituida por el tráfico de drogas.

La drogadicción de los norteamericanos y su explotación por los latinos es la otra cara del dominio imperial, la esclavitud del poderoso, una hipoteca que el Sur tiene sobre las ansiedades y el frenesí de la población norteña. La mafia hispana de la droga está creando una red imperial más poderosa que las viejas mafias de la prohibición del alcohol. Y lo que para la cultura india era una parte de su dieta, que contribuía a la supervivencia en un medio hostil, para el habitante de la modernidad industrial se ha convertido en un consumo conspicuo, esclavizador, que sirve igual para acelerar la combustión biográfica como para evadirse de ella.

Sin duda que la imagen turbia del moreno traficante del nuevo vicio no está contribuyendo a consolidar el perfil positivo del hispano. Pero no hay que dejarse llevar por las apariencias. El tráfico de drogas tiene tantas complicidades blancas y tanto anglo importante a la cabeza del negocio que, como en tantas ocasiones, la escala social y racial se reproduce aquí. Los hispanos y los negros, último escalón del comercio del vicio y consumidores del de peor calidad, reflejan la estructura del mercado de trabajo que reserva a los menos pudientes el lugar más visible y arriesgado. En último término, hay oferta porque hay demanda y mientras en el Norte se busque la droga, los sureños se la van a dar.

## 3. La frontera

La existencia de la línea, como tantos habitantes de Tijuana o Ciudad Juarez llaman a la frontera, no sólo no impide los mil tráficos Norte-Sur, sino que los acrecienta. En la medida en que la economía es un arte del provecho, pocas cosas pueden hacerse para evitar que dentro o fuera de la ley —y menos en América— la gente aguce el ingenio y saque partido de las oportunidades.

El mercado de trabajo americano, especialmente el del Suroeste, está lo suficientemente segmentado como para permitir la utilización de la mano de obra barata en algunos de sus sectores. El principal es naturalmente la agricultura. Extensas zonas de explotación agrícola requieren, junto a la inversión financiera y tecnológica, un tipo de mano de obra que, por su perfil profesional y su carácter estacional, favorece el empleo del trabajador a destajo. Los mejicanos, que, como vimos, consideran la zona como propia, llevan casi cien años haciendo de cultivadores manuales de la riqueza agrícola del suroeste. Unos, ya establecidos, otros viajando en las temporadas de siembra y cosecha, y la mayoría, objeto de un trato laboral del que se benefician sus patronos y la economía norteamericana en su conjunto.

«A quienes piensan que el emigrante le quita trabajo al nativo, hay que decirle que muy pocos nativos estarían dispuestos a trabajar en las condiciones en las que lo hacen los nuestros» —comenta un viejo luchador sindical del grupo de Chavez.

Efectivamente. La ascensión económico social del americano, como la del europeo, consiste en alejarse de los trabajos del campo, de los empleos manuales, duros y apenas tecnificados, y eso se puede hacer, precisamente, porque hay, disponible y cercana, una mano de obra abundante y barata.

La historia de la explotación de los trabajadores de temporada está escrita en lenguaje procesal y en letras de canciones, a lo largo de esas dos mil millas de frontera que, por temporadas o cada día, atraviesan los servidores manuales de la economía norteña. Porque no sólo son los empleos agrícolas. Los mil y un oficio de la manualidad tienen un nutrido contingente hispano que, generalmente a la cola del pelotón, limpian, arreglan, cuidan y reparan casas, jardines, vallas e instrumentos. El gran negocio es, con todo, el servicio doméstico. Un boom de la comodidad casera domina la América de las clases medias que, apenas atraviesan el nivel de la prosperidad, descubren que no hay como tener criada y que las Marías, Lupitas y Dolorcitas son mucho mejor ayuda que los más sofisticados electrodomésticos. Entre otras cosas, porque proporcionan esa porción cotidiana de poder femenino que consiste en dar órdenes a otra mujer.

Pero la frontera ha hecho aguzar el ingenio de tantos industriales norteños que, en vez de importar mano de obra, prefieren utilizarla donde esta. Son las maquiladoras, cientos de instalaciones ubicadas en el lado mejicano de la frontera o en las islas del Caribe, en las que nativos de ambos sexos, ensamblan los productos, cuyo diseño y materia prima viene del Norte para volver a él o incluso para ser exportados al mercado internacional.

La maquiladora representa la violación más flagrante de las leyes laborales y de comercio exterior, pero todo el mundo está encantado con ella. Los industriales, porque no tienen que pagar derechos de aduana sino ese parvo valor añadido que es el salario tercermundista. Los obreros porque, aun con serlo, el salario es mejor que el desempleo y los sueldos locales. El Gobierno norteamericano, porque se evita los gastos de seguridad social y servicios públicos que ha de costear y los gobiernos sureños, porque es una inversión que crea empleo. En la maquiladora no se respetan la mayoría de los derechos tradicionales del obrero pero, a estas alturas, y tal como está el mercado de trabajo, nadie hace muchos ascos y hasta algún político sureño ha bendecido el nuevo maná, sin el cual muchas ciudades fronterizas caerían en la miseria.

La maquiladora representa una nueva estrategia multinacional para llevar las manufacturas convencionales a países más pobres y más disciplinados. Y aunque el mundo americano del trabajo no es un jardín de flores, la fuerza de los sindicatos y el nivel de vida exigen una actitud en los patronos más condescendiente y un menor beneficio para el capital, algo que se puede obviar utilizando las peculiaridades de la zona Sur del imperio.

Es una nueva situación que permite, y no sólo en América, un replanteamiento de la división internacional del trabajo que está viendo florecer, en el Pacífico Sur, un grupo de naciones asiáticas que se caracterizan por ofrecer al capital mano de obra abundante y barata y gobiernos autoritarios, decididos a implantar un modelo de desarrollo de gran libertad empresarial y escasa reivindicación laboral. Se trata, en cierto sentido, de una continuación de los regímenes coloniales que tenían esos países en su pasado, aunque con un nivel mayor de prosperidad, debido precisamente a la incapacidad de los países más poderosos para mantener a su propia población trabajadora en tales condiciones.

La demografía y el desarrollo económico del espacio imperial americano se convierten así en paradigma de las nuevas relaciones entre capital, trabajo y tecnología y no se puede dudar que ha sido una manera sencilla y eficaz de resolver anteriores conflictos. Sin embargo, la interrelación Norte-Sur tiene en el continente americano ciertas peculiaridades. Una, muy particular, es la fascinación anglo por lo latino.

## 4. Latino

Se ha descrito desde diversas perspectivas y con acentos variados. El estereotipo anglo del hispano alegre y perezoso es probablemente una fórmula para conjurar sus propios miedos. La definición laboriosa y moralizante de la cultura anglo, convertidas en paradigma del melting pot, ha sido tantas veces contradicha por la historia que hacía falta afirmarla frente a un chivo expiatorio. Este ha sido hallado, unas veces en el negro, otras en el hispano, pero siempre, por debajo de la condena, del exabrupto, laten la desconfianza de uno mismo y, por supuesto, la envidia de quien, al asumir el poder, debe descartar las complejidades psicológicas. La cultura latina, en su versión anglo popular y simplificada, hace de contrapunto modélico y, en el camino, contribuye al redescubrimiento de ese inconsciente de perversidad que persigue al dominador blanco en casi todos los capítulos de su aventura histórica.

La frontera mejicana ha sido, para el folklore anglo, sede de bandidos y borrachos a los que finalmente se imponía la elemental rectitud del anglo justiciero. Es una leyenda que ayuda justamente a cubrir la persistencia del abigeato blanco y la invasión bronca de los buscadores de oro. En lo más profundo, la frontera ha servido de desaguadero para tantos anglos que, huyendo de las estructuras de respetabilidad de su sociedad, buscaban en los burdeles y licorerías de Tijuana, de Ciudad Juarez, la forma de reconciliarse con su propia humanidad y, de paso, se llenaban el alma con un modo de sentir y vivi contradictorio con sus esquemas cotidianos

El asalto a los lupanares del vicio fronterizo era también, para muchos otra forma de humillar al hispano, en una versión personal, la agresión carna del dominio eminente que el Norte ejerce sobre el Sur. Pero, a pesar de ello o quizá por ello, lo latino fascina al anglo. Es una fascinación que va desde l música, con aquella importación neoyorquina de los ritmos cubano y brasilei ro en el período de entreguerras o el aprecio de las canciones charras por e cercano cowboy, hasta el reconocimiento de la intensida de las pasiones y l robustez de los lazos humanos que, en cierto sentido, descomponen la fria dad del estereotipo anglo desde el estereotipo latino.

La cultura de la frontera, y la incrustación hispana en el mundo urban forman parte ya del tejido social americano, no tanto por vía de asimilació como de diversidad. Es una alternativa a los trazos más previsibles y maneja bles de la cultura anglo en la que, jóvenes y mayores, van a buscar sensacione y encuentros de un signo distinto.

Todas estas circunstancias, así resumidas, explican el por qué de un pre sente, mezcla de atracción y conflictos, en el que, por primera vez en la his toria de esta nación de emigrantes una minoría se resiste a abandonar sus pe culiaridades y, aunque la realidad cotidiana le incite a la americanización, ni és ta es tan concluyente como desean muchos anglos ni parece plausible la re nuncia a recrear otro melting pot. Ha de ser, para muchos, un melting pot c signo distinto, en el que los americanos de origen hispano, pero no sólo ello contribuyan a que la cultura común sea más rica, más flexible, menos mon corde, algo que, sin duda, puede contribuir a la mayor duración y elasticida de la población del Nuevo Mundo.

# Testigos

## 1. *Smity, el vaquero nostálgico*

Smity, como le llaman sus amigos, es un tejano, dueño de un restauran en el Paso. Nació y se crió por allí y nunca ha sentido la tentación de irse

Norte. De joven practicó bastantes oficios, incluidos los de cowboy y contrabandista. Su mujer, mejicana, le indujo a la seguridad y, a sus cuarenta años largos, puso el negocio del que viven y con el que han dado estudios a sus tres hijos y a una sobrina.

P.—¿Es verdad que hay una cultura de la frontera?

S.—Se ha ido haciendo. Yo me acuerdo de cuando Ciudad Juárez era apenas un pueblo, con unas cuantas licorerías y burdeles a los que acudíamos los jóvenes de El Paso. Era como una confirmación de la mayoría de edad masculina. Los jóvenes de secundaria sentíamos el morbo de cruzar la frontera, de beber sin controles, de tratar a aquellas mujeres de pelo negro y ojos profundos, tan distintas a nuestras compañeras de clase.

P.—Pero ¿no había mejicanos en El Paso?

S.—Si, pero menos visibles. Estoy hablando de los años cuarenta y cincuenta, en los que El Paso era una ciudad ganadera y la mayoría de las familias como la mía vivían del ganado. Los mejicanos eran peones o sirvientas y no tenían acceso a nuestra escuela. Además, pocos llegaban a la secundaria. Yo hacía compatible mis estudios con el trabajo en el rancho de un tío mío, que medio me adoptó cuando murió mi padre. El recuerdo mejor de mi adolescencia son las cabalgadas a la madrugada para llevar al ganado a beber a unos pastizales arriba de una loma. Ibamos cuatro hombres y ellos me enseñaron el oficio. Uno había vivido en México, sabía tocar la guitarra y por la noche nos cantaba esa mezcla de country y charro que, años después, se ha puesto tan de moda entre la juventud. Me atraía mucho este desierto nuestro que no he dejado de recorrer, antes a caballo, ahora en jeep. Todavía soy capaz de dormir al raso, embozado en mi manta mejicana, a la luz de la luna, ahuyentando los coyotes con un buen fuego.

P.—¿Y lo mejicano?

S.—Mi tío vendió el rancho cuando yo tenía veinte años y empecé a dar tumbos. Después de la guerra vinieron al Paso algunos excombatientes con dinero y se amplió la vida comercial con negocios de todo tipo, así como también creció el tráfico fronterizo. Durante un par de años hice contrabando. Eran sobre todo artículos de plástico, perfumería, mecánica de precisión y para acá me traía plata. Entonces me hice amigo y socio de un exmarine mejicano que me introdujo en su comunidad, tanto que terminé casándome con su hermana. A partir de entonces me hice más «cuate», aprendí el español y practiqué un montón de oficios, tales como herrador, reparador y vendedor de máquinas agrícolas, pocero. Recorrí bastante el norte de México, la mayoría de las veces sólo, otras con mi cuñado. Allí he aprendido a valorar la amis-

tad, esa red de contactos que te abre las puertas, la obligación de corresponder al compromiso con tu compadre, ese lazo que te une con otro hombre para toda la vida. Mi cuñado y yo llegamos a ser inseparables y cuando murió, prematuramente, de un cáncer, mi mujer y yo nos sentimos obligados a acoger a su viuda y a su hija y a juntarlos con los tres hijos nuestros. Entonces a ellas les pareció conveniente que yo dejara aquella vida y nos vinimos al Paso a poner este restaurante, que empezó siendo de comida mejicana. Aquí vienen gentes de todas clases pero tienen siempre un plato la multitud de primos y amigos que cruzan la frontera.

P.—Hablemos un poco de ese tráfico fronterizo.

S.—Ha ido cambiando. Primero fue puro comercial y de turismo local. Hoy es casi un «commuting». Gente que vive y duerme en Ciudad Juarez y trabaja en El Paso. De esos hay muchos, sobre todo personal de servicio. Siempre está el contrabando, más o menos encubierto. Y luego ese flujo de personas, mezcla de turismo, vagabundeo y aventura. La continua devaluación del peso nos ha perjudicado mucho, aunque aquí en la frontera tenemos nuestros propios arreglos. La verdad es que ni Ciudad Juarez se entiende muy bien con México capital ni el Paso con los norteños americanos. Aquí la vida tiene otro ritmo y unas ciertas reglas por las que protestan los que no son de aquí pero para nosotros resultan naturales. Aquí nadie, salvo que esté muy borracho, es demasiado patriota. Nos tomamos a broma a los gobiernos y nos arreglamos con unas costumbres que toman algo de aquí y algo de allí.

P.—Entonces ¿no te sientes americano?

S.—Yo me siento lo que me siento. Para mí la vida consiste, o mejor ha consistido, en explorar los espacios abiertos, sin sentir más controles que la naturaleza y luego volver a mi gente, a donde están los míos. Así se combina, creo, mi lado americano, del Sur, con el barrio mejicano. Eso es lo mío, marcharte y volver.

P.—Pero eso en el fondo es el Sur.

S.—Sí, pero con un añadido mejicano. A mi, la vida del rancho no me decía nada, era un contrato. En el barrio se sienten las relaciones, hay lazos más profundos, más comprometedores. Y el complemento americano es la vida profesional en libertad. Yo, por eso, no entiendo la ciudad grande que tiene lo peor de las dos, el control y los egoismos, la lucha de todos contra todos.

P.—Pero la América urbana es predominante.

S.—Supongo que sí, pero a mi no me va. La ciudad engendra extrañas maneras de pensar. Yo tuve, en los años de Vietnam, negocios con unas gentes de California que se pasaban la vida hablando mal de nuestro país y protestando de todo lo que pasa en América. A mí me parece que no hay que fiarse mucho del Gobierno, pero tampoco hay que ser extremista. América es la tierra de la libertad y la oportunidad y yo, por defender eso, soy capaz de ir a la guerra. Pero en cuanto viene la paz, pues que nos dejen en paz. Claro que peor es el Gobierno mejicano, que apenas tiene asistencia para sus gentes y mucho Viva México, pero lo único con que de verdad cuentan los mejicanos es con sus familias. Aquí en la frontera, mezclamos las libertades, las oportunidades con las lealtades y tenemos una manera de arreglar las cosas entre nosotros, el compadreo, que es mejor que estar pleiteando.

Smity estuvo así, filosofando, tres veladas más, en las que, rumboso, nos invitó a compartir, con sus ideas, su mesa y continuó haciendo observaciones que su mujer escuchaba, en silencio, pero asintiendo, mientras trajinaba por el restaurante. La sustancia de su discurso, sin embargo, está contenida en el diálogo que antecede.

## 2. *Felicia, la burócrata compasiva*

Felicia es una puertorriqueña, licenciada en Sociología que, después de trabajar por un tiempo en los servicios sociales de la isla, llegó a Nueva York con su marido, ingeniero. A los cuarenta años, ya divorciada, volvió a ingresar en la burocracia de la seguridad social y trabaja, desde hace cinco años, en los servicios asistenciales de Chicago. Su versión de la situación hispana nos ocupó todo un fin de semana.

F.—La situación sólo puede explicarse como consecuencia de la confluencia de decisiones variadas y contradictorias. Por una parte, la economía americana necesita toda clase de mano de obra y la usa, según los ciclos, según las circunstancias. Por otra, las reglas de juego laborales permiten al empleador una libertad tal que apenas tiene que demostrar nada a la hora de despedir. Esta es la tierra de la libertad patronal y los sindicatos no tienen mucha fuerza, porque hay más trabajadores fuera que dentro de las uniones. Al mismo tiempo, los arreglos políticos entre América del Norte y sus vecinos del Sur a la vez premian y castigan la emigración y en algún caso, como el de Puerto Rico, casi premian al ocioso. Algo así como la legislación que subvenciona al agricultor por no trabajar la tierra. De todos esos factores, en conjunción con los individuales, las causas personales, surge una situación compleja que desafía la posibilidad de racionalizar, incluso de interpretar, lo que está pasando.

P.—Pero las cosas se pueden examinar con las variables étnicas, de educación, de edad...

F.—Sí, claro. A lo que yo me refería no es tanto al análisis descriptivo de la emigración, que se está haciendo, sino a un estudio político, del que pudieran salir las bases para una estrategia migratoria y laboral. Fíjate que las minorías hispanas, en algún caso, como en California, están enfrentadas entre sí, a tenor de la fecha de ingreso al país. Los más antiguos están contra los más recientes y hasta la Unión de Chavez es favorable a la ley de emigración porque frena esa arribada de mano de obra barata que descompone la acción sindical.

P.—Pero en su conjunto América sigue teniendo un indudable magnetismo, es el destino soñado de todos los vagabundos.

F.—Me he preguntado muchas veces el por qué. Desde mi empleo en la seguridad social, yo soy testigo del contrasueño americano. En la fila del desempleo de Chicago se puede ejemplificar la historia de los fracasos individuales, de la estrechez de miras de la economía. Aquí lo mismo encuentras a un desempleado estructural, que entra y sale de empleos irrelevantes, que a un profesional, expulsado de un mercado muy competitivo por un golpe de suerte o por no ser demasiado dócil.

P.—Pero lo que deberías decir a continuación es que, al hacer cola, están esperando una ayuda gratuita, algo que no es muy común en los países de donde emigran.

F.—Eso es verdad. Aquí hay un mínimo apoyo al que lo necesita, aunque inferior al europeo. Sin embargo, la tesis oficial es que el welfare es un remedio de emergencia y lo que hay que hacer con los parados es que dejen de estarlo. Lo que sucede es que el remedio que para el parado americano resulta una limosna, que no reemplaza su necesidad de trabajar, para muchos emigrantes es una bendición. No olvides que los emigrantes de los últimos veinte años, en su gran mayoría, vienen de países latinoamericanos y asiáticos, pobres, estructuralmente injustos, sin apenas asistencia pública. Los vietnamitas o los salvadoreños, o incluso los mejicanos, que están a la cola de la seguridad social reciben aquí, quizá por primera vez en su vida, una ayuda pública no condicionada y una oferta de empleo, aunque sea modesto. Para ellos esto es casi la mitad del sueño.

P.—O sea, que todo depende de la perspectiva individual.

F.—Otra razón por la que la gente tiende a mantener una visión optimista es la gran oferta de trabajo estacional que hay en este país. Si eres joven, tienes energía y no te incomoda el cambiar, puedes ir de un lugar a otro, de un empleo a otro, sin dejar de estar ocupado. De hecho, una parte importante de la juventud negra e hispana trabaja en ese sector de la economía y sólo lo abandona cuando ha decidido crear una familia o tiene la oportunidad de mejorar sus habilidades y encuentra algo más fijo. Las ventajas de un mercado tan grande y tan flexible como el americano es que puedes entrar y salir del empleo con mucha facilidad. Siempre hay algo para hacer aunque sea lavar coches para los hombres o el servicio doméstico para las mujeres.

P.—Entonces ¿esas cifras de desempleo?

F.—Las estadísticas laborales se hacen aquí de manera que una parte de ese trabajo discontinuo no se cuenta como empleo. Luego está todo ese mundo de la juventud en transición, en el que la mezcla de protección familiar y pública y el des/animo personal se convierte en disuasores del trabajo.

P.—¿En qué sentido?

F.—En primer lugar, la escuela tiene una extraña virtud y es hacer ambicionar un trabajo relevante, potenciar las expectativas. Y si no lo encuentran o no lo encuentran a la primera, es fácil que se retraigan al amparo de la protección que reciben. Pero, sobre todo no olvides que el sueño americano cada vez más, tiene que ver con el consumo, no con el trabajo. Aquí los jóvenes son muy realistas y apenas entienden la ética del trabajo que tenían, sobre todo, los anglos adultos y que hoy conservan principalmente los asiáticos. Los símbolos del éxito se refieren, no a lo que haces sino a lo que gastas. Tener dinero y gastarlo es la suprema ambición juvenil a la vez que el signo más estentóreo de que has llegado. Por esos muchos jóvenes piensan que trabajar duro por una recompensa pequeña no vale la pena y esperan, en esa mezcla de fantasía y adolescencia protegida, a que cambie su suerte. Mientras tanto, si lo necesitan, trabajan duro unos meses, generalmente durante el verano, y el resto del tiempo tratan de pasarlo bien.

P.—Pero hay también miseria y necesidad.

F.—Desde luego, Pero yo diría que, subjetivamente, afecta más a la gente mayor. La marginación, a fuerza de ser institucional, ha dado a los jóvenes, negros sobre todo, una especie de cinismo que es lo que les separa de sus mayores, más conscientes de su situación y, por consiguiente, más desgraciados. Hoy, un joven negro o puertorriqueño del gueto, aunque pase por etapas de rabia, o por las más dramáticas de la delincuencia y la drogadicción, no está tan desesperado como su padre de cincuenta años o su madre de cuarenta. En mi experiencia, la juventud marginada le ha tomado la medida al sistema. Algunos juegan fuerte, llevándole la contraria, siendo los más duros posible. Ello incluye el crimen organizado. Otros, entre la droga y las pandillas, mantienen una cierta excitación, aunque saben que su existencia es peligrosa. Y los más se conforman, aprovechan las cosas como les vienen y tienen temporadas buenas y malas. Es entre los adultos donde yo veo las mayores tragedias y, en especial, ese estado de estupor, de degradación, de autodesprecio, aunque los más lúcidos ya saben que hay otras razones, que el sistema aquí es implacable y no va a cambiar su suerte por mucho que se empeñen.

P.—Como contrapunto, está el largo capítulo de la ascensión social, las historias que terminan bien.

F.—Si. Es lo que les ha pasado a tantos, incluyéndome a mí misma. Yo estudié gracias a una beca porque mi familia, en la isla, vivía del welfare. Mi carrera, y luego mi matrimonio, me hicieron subir unos escalones, pero ¿hasta dónde? Tengo un trabajo seguro pero burocrático y, a estas alturas, no me puedo arriesgar a cambiar. Tengo un apartamento cómodo, no me falta lo esencial pero, si me descuido un poco en gastos extra, tengo que contar el dinero para llegar a fin de mes. En Europa os creeis que aquí se atan los perros con longaniza pero la mitad de los americanos, según las estadísticas, andan más bien justos, siempre asustados con el dinero, entre otras razones, porque la presión social para que gastes es enorme. Como sabes, aquí todos estamos endeudados, la mayoría debe seis años de trabajo.

Es verdad que, entre los hispanos, hay bastantes historias de pasar de pobre a medio pobre y de asustado a medio tranquilo, pero influyen bastante las variables no subjetivas. Todo el mundo pone el ejemplo del éxito de los cubanos en Florida, pero, aparte de que allí hubo un alto porcentaje de emigración de clase media y de que el enclave cubano es el gran protector, hay muchísimos que no han salido de los niveles de supervivencia.

P.—Supongo que tu también opinas que el caso puertorriqueño es el peor.

F.—Lo era hasta ahora porque, con motivo de la tragedia centroamericana, está viniendo mucha gente rural, desplazada de sus pueblos por la violencia represiva, que apenas tienen medios ni habilidades. La emigración política poseía hasta ahora un componente clasista. Se trataba, en muchos casos, de intelectuales, de profesionales que huían de las dictaduras. Pero en el Salvador, en Guatemala, en Haití, la violencia expulsa también a gente de campo, objeto de esa represión militar que, buscando erradicar a las guerrillas, practica la vieja costumbre americana de atemorizar a los pueblerinos.

P.—Te habrán contado muchas historias.

F.—Este empleo es una mezcla de confesor, psicólogo y periodista. A mí me enternece y me consuela esa mezcla de resignación y alegría de vivir que tienen nuestros pueblos. Da la impresión de que algunas de nuestras costumbres son en el fondo una coraza contra la mala fortuna y que la red familiar de apoyo doméstico sigue haciendo de contrapunto a la mala suerte.

P.—¿No es un poco exagerado recalcar tanto la dimensión familiar de la cultura hispana?

F.—No entre las clases populares. Evidentemente nuestros jóvenes están más americanizados y a veces se toman a broma entre ellos las cosas de sus viejos. Pero saben que los tienen y que son capaces de seguir sacrificándose por ellos. Es a ese vínculo al que me refiero. Aquí, cada generación, después de dar algo de sí a la siguiente, quiere vivir su propia vida. En nuestra cultura no existe ese corte, se es padre y madre con todas las consecuencias, aunque los hijos sean grandes, y después, con los nietos. Es muy raro, en la cultura americana, que las abuelas críen a los nietos. En la nuestra es bastante común y representa además en muchos casos, un modo de no envejecer, y de sentirse relevante, a una edad en que los americanos sólo piensan en pasarlo bien, en estar tranquilos y, sobre todo, en no cargar con los problemas de los demás.

P.—¿Cómo ves el futuro de nuestras gentes?

F.—Prefiero no hacer previsiones, sobre todo colectivas, porque se trata de un grupo muy vario y de un país complejo. Me gusta creer, sin embargo, que vamos a un mejoramiento general de las minorías —fíjate el éxito de la asiática—, entre otras razones porque estamos en un período, no sólo de esfuerzo personal, sino también de afirmación política y civil de los grupos. Estamos aprendiendo las lecciones de la democracia americana, que es una democracia de intereses, de empujar, de pleitear. Nada te dan gratis aquí. Mucho dependerá, como siempre, del estado general de la economía, pero los otros frentes, el cultural, el legal, presentan buenas perspectivas. Se va quebrando la pobreza relativa, hay más educación y, aunque seguimos compartiendo con los negros la cola de todas las estadísticas, cada año estamos un poco mejor, aunque la emigración pobre no cese.

Luego está ese gran espacio de clase media hispana, con tantos profesionales ya instalados, con tanto dinamismo, En cierto sentido, los hispanos y los asiáticos estamos dando a este país ese punto de entusiasmo, de fe, tan propio de la emigración, que los anglos estaban perdiendo a medida que declina su poder relativo. Además los anglos se están acomodando mejor a los grandes temas igualitarios y, aunque todavía tienen los resortes del poder, también ellos, en su juventud, en sus intelectuales, van cambiando a mejor. Pero, repito, yo no sé medir bien las variables colectivas y, como te dije al principio, me parece que hay grandes indefiniciones políticas. En todo caso, yo prefiero sumar historias de vida y la verdad es que, aunque el Gobierno republicano es menos generoso, no nos faltan medios para seguir ayudando a los que de verdad lo necesitan. Ciudades como Chicago son un ejemplo de lo que digo. Aquí parece que hay muchos pobres, pero es también porque la ciudad posee más servicios para atenderlos y esto les atrae. Y Chicago, además, ha visto crecer su población empleada, de manera continuada, durante los últimos diez años.

Terminamos de cenar y Felisa se iba pronto a dormir. Mañana, lunes, es un día duro en la oficina. Como estamos en invierno, los lunes se presentan allí todas las calamidades que ocurren en el fin de semana, esos dos días de frío sin trabajo que engendran muchos conflictos domésticos.

# II. La aventura americana: mayoría y minorías

Todos los imperios, por el hecho de serlo, suscitan la glosa. Hoy, centenares de observadores del escenario imperial, nativos o visitantes, se ganan la vida contándonos o contándose unos a otros las peculiaridades del caso. Los escritos o los reportajes audiovisuales de la politología, de la antropología americanas llenan las valijas y los anaqueles de quienes, como yo, recolectan papel, cintas y videocasetes sobre un tema que produce, entre otros efectos secundarios, el exceso de equipaje del observador. El narcisismo nativo es sólo comparable a la curiosidad, beligerante o no, del extranjero, sobre todo del colonizado. Es sabido que no hay mejor momento para la producción de análisis que el declinar del imperio, ese punto y aparte de la civilización hegemónica que, en nuestro caso, a los casi cien años del comienzo de su apogeo comienza a dar signos de un dulce empacho con su dominio, al tiempo que surgen otros centros de poder. Por eso, la indagación, por eso, la introspección, que, para algunos, es como un desasosiego en la fe, hasta entonces sin fisuras. Para otros supone el impacto de los inevitables mestizajes imperiales y para los más enojados es el efecto de los nuevos bárbaros que, contrariamente al caso de Roma, esta vez no vienen del Norte, sino del Sur.

El negocio de crear y difundir estereotipos, oficio de muchos periodistas y no pocos sociólogos, sigue produciendo confusión. Porque no hay nada más superficial que identificar a la mayoría americana con su prototipo histórico, el blanco anglosajón protestante que, aunque continúa ocupando las cúspides del poder político y económico y fabrica la ideología que consumen tantos otros ocupantes de más bajos escalones sociales, no es, ni siquiera para los de su clase, un modelo moral ni tampoco, al disminuir relativamente su número, una sustancial referencia estadística. Pero antes de hacer sociología, y quizá para hacerla, se hace necesario hacer historia, sobre todo historia de las ideas.

El bagaje ideológico de los peregrinos del Mayflower contenía básicamente dos ingredientes: un profundo desapego de la coerción institucional del Viejo Mundo y una interpretación reverencial de su emigración al Nuevo. Los emigrantes eran hombres, en su mayoría jóvenes, duros, emprendedores, autoseleccionados tanto por su horror a los muchos reglamentos de la Europa mercantilista como por su capacidad de imaginar una nueva vida básicamente autogestionada.

De su formación previa utilizaron principalmente dos hipótesis doctrinales: la libertad industrial y comercial recién instalada en la clase media europea, y que ellos convertirían en fundamento de la democracia agrícola y mercantil que establecieron, y el carácter de misión religiosa que tenía su viaje, una especie de nueva travesía del desierto para arribar a la Tierra Prometida por el Dios de los blancos voluntariosos.

Aquellos hombres representaban una ruptura de la legitimación política y, sobre todo, social, de las instituciones cuasi medievales del siglo XVIII y, aunque venían poseídos del clasismo y de la estructura patriarcal de la pequeña ciudad, se aplicaron a diseñar, y sobre todo a poner en práctica, una filosofía de la autosuficiencia individual que, basada en el espíritu del capitalismo, se desarrollaría en América sin las trabas y compromisos institucionales de la tradición europea.

La Revolución, al romper los lazos con la Monarquía inglesa, profundizó aún más la hipótesis autogestionaria y tanto la Declaración de Independencia como la ya bicentenaria Constitución representan un consenso de varones puritanos de la clase media —no hubo mujeres en la convención ni, por supuesto, representantes de la clase obrera— que estaban dispuestos a organizar un modo de convivencia que favoreciese la supremacía de los valores mercantiles en que todos creían. Ese fue el común denominador de aquella amalgama de labriegos, abogados, militares y eclesiásticos que componían la primera ola de la migración anglo.

Bien pronto tuvieron que afrontar las consecuencias de aquella democracia oligárquica y lo hicieron por el tradicional expediente de apelar a la religión. El tema indio, el encuentro con los americanos nativos, fue interpretado desde el mito de la misión sagrada. La fe puritana había proporcionado a aquellos blancos un sentido de misión respecto a los étnicos, es decir, a los que literalmente —en el sentido greco-judío de la «Biblia»— no pertenecen al pueblo elegido. La misión, en relación a los indios, consistía, básicamente, en impedir que obstruyeran el viaje sagrado, la peregrinación al nuevo Israel de los elegidos, con lo que las persistentes guerras indias para erradicarlos de sus territorios, o más bien para reducirlos a reservas, fueron justificadas en términos de la incapacidad de los indios para asumir su nuevo destino, el servicio a los elegidos, hipótesis que se iba a confirmar en la legitimación posterior de la esclavitud negra.

En realidad el carácter nómada y cazador de la población india se acomodaba mal al planteamiento agrícola y territorial de los colonos blancos. Por otra parte, el número de emigrantes no libertos, que llegaron a Nueva Inglaterra para redimir penas con su trabajo, o los verdaderamente pobres, no eran suficientes para cubrir las necesidades de mano de obra de aquella economía. La esclavitud negra fue un corolario del modo de colonización agrícola y su legitimación y deslegitimación constituye la ausencia de ese dilema americano que persigue las conciencias de los progresistas desde que Jefferson escribió, en 1782, aquello de... «Tiemblo por mi país cuando reflexiono en la justicia divina y pienso que una revolución es posible». La idea de que la libertad y los derechos de los blancos no eran transferibles a los negros, que la Corte Suprema mantiene todavía en 1857, se incorpora a la conciencia colectiva del Sur y, pese a la guerra civil y subsiguiente modificación constitucional, permanece cercana a la mentalidad conservadora y rebrota en cuanto los conflictos raciales desbloquean el angloconformismo.

La oligarquía wasp ha sabido acompañar su dominio de una ideología legitimadora, cuyos planteamientos tienen una sencillez que permite sean esgrimidos a modo de verdades elementales y, a veces, a modo de mitos.

Quizá el primero, y más difundido, sea la fe americana en que el hombre es hijo de sus obras. La mentalidad emigrante se refuerza con la pionera para confeccionar una filosofía de la autosuficiencia y el voluntarismo que, condimentada con ingredientes morales, pasa de padres a hijos en una afirmación de individualismo radical. El que Dios ayuda al que a sí mismo se ayuda se convierte en epicentro de la teología del nuevo mundo, que instala una ética del capitalismo más primitivo en cada granja, en cada fábrica o establecimiento mercantil, en cada escuela.

La dureza de la estructura clasista, la fuerza persuasiva del dinero heredado, no consiguen romper el consenso sobre uno de los primeros axiomas de la fe americana, que exhibe orgullosa su inventario de millonarios nacidos en la pobreza, de individuos conquistando la naturaleza hostil, mientras cada año esconde, bajo la alfombra colectiva, los miles de vidas que podrían dar un mentís existencial al axioma. Oportunidad es todo lo que pide la mayoría. Una oportunidad para probar y probarse a uno mismo que la dureza en la autoexigencia, el levantarse cada mañana dispuesto a doblar el espinazo, son las condiciones del éxito.

Se trata, indudablemente, de un legado de la economía agrario mercantil de la primera hora, de una referencia emocional a aquella conquista del Oeste, simbolizada en la arrogancia laboral de unos tipos duros y tenaces. Su predicación contemporánea es una manera mítica de evocar la simplicidad del sueño americano ante las nuevas generaciones, antes de que éstas descubran por sí mismas las reglas del juego del capitalismo avanzado. Cada 4 de julio los predicadores laicos del sueño reafirman la fe en el calvinismo de la justificación por las obras y dibujan ese perfil del americano prototípico, que se encarna luego en la otra industria de los sueños, en los personajes del cine y la televisión. Por cada americano frustrado, lúcido o cínico, por cada historia fracasada hay diez, cien candidatos, que esperan en otro país, al otro lado de la frontera, encarnar en sus vidas el sueño y que necesitan creer que el sueño existe. Por ello podría decirse que si Estados Unidos no fuera un país de emigrantes, además de cabeza del imperio occidental, sin que a sus puertas llamasen millones de conversos al individualismo utópico, ni los mitos ni la sustancia de su convivencia serían los mismos. La fenomenología de la emigración, y especialmente sus esperanzas, contribuyen decisivamente al mantenimiento de los axiomas básicos y, en particular, a éste de la responsabilidad personal por el propio éxito o fracaso. Para cambiar, uno necesita creer en el cambio.

El segundo de los axiomas que la ideología wasp mantiene es justamente ese, la idea del cambio para mejorar, que en su primera versión fue el mito de la frontera, del viaje al oeste y, con el paso del tiempo, se ha transformado en otros viajes, en otros cambios.

La movilidad geográfica nacional es, en cierto sentido, un corolario de la mentalidad emigrante. Uno no echa más raíces que las imprescindibles, sobre todo si después de la primera aventura se divisan otras, aún más promisorias. Moverse, ir y venir, se ha convertido en una connotación americana. Si uno se fija bien en el mensaje subliminal del poder, al americano no se le exhorta a echar raíces, sino a perseguir su autoafirmación. Hay quien busca en ello la actitud conspiratoria de un empresariado que desea la movilidad del mercado de empleo, que quiere que la gente acuda allá donde le conviene al capital. Pero hay algo más. Es una actitud que está contenida en el individualismo de la autoafirmación, que desecha la frustración de lo repetitivo, de los caminos cerrados, muertos —«el dead end»— y siente en los huesos la comezón del cambio.

La movilidad se transforma en ansiedad existencial. Gran parte de la publicidad mercantil americana se orienta a dar pábulo a esa actitud peregrina, en cuya virtud el americano debe cambiar de casa, de coche, de profesión y hasta de pareja, por imperativo del ritual nacional del cambio. La producción industrial de masas está, sin duda, basada en la obsolescencia planificada. Una nación de doscientos millones de consumidores mantiene a sus fábricas humeando si es persuadida a cambiar de artefactos, de costumbres, cada cierto tiempo. La fecha de caducidad, que incorporan hoy tantos artículos perecederos, además de una garantía de salubridad, constituye un símbolo de esa comezón. La ansiedad por el cambio es un corolario psicológico de la sociedad de consumo de masas. Al cambio geográfico, al moverse de sitio, ha sucedido un viaje a la abundancia, que es la novísima frontera de los Estados Unidos y que tiene también sus raíces en la mentalidad del emigrante.

Los emigrantes buscan libertades pero buscan, sobre todo, la prosperidad. La marcha anglo hacia nuevas tierras, paradigma del bienestar agrícola, se transforma en marcha hacia la riqueza y hoy el sueño americano, para muchos, consiste en ese viaje placentero de casa al supermercado, del frigorífico a la televisión.

La recesión económica de los setenta produjo importantes daños a la utopía nacional, al haber frenado colectivamente el movimiento, al haber puesto límites a ese viaje a la abundancia. Incluso movimientos tan escasamente americanos como la ecología y el microdiseño industrial encuentran sitio en una sociedad que tiene que buscar alternativas míticas a la magnificencia anterior y que se asombra y se enoja al ver impedido su viaje de autoafirmación. Pero el mito de la abundancia cala muy hondo y apenas cede la crisis del petróleo la nación elige a un presidente que vuelve a proponer horizontes de expansión, de grandeza, aunque luego se prueben irrealizables. Pero hasta los que elijen una vida tranquila incluyen en ella una cierta dosis de cambio. Los folletos de venta de esos nuevos modos de asentamiento urbano, los condominios, las urbanizaciones para jubilados mencionan, junto a las ventajas de una cierta domesticación del impulso viajero, excursiones programadas y otros modos de alterar la tranquilidad, dosis de novedad y variación para la adicción americana.

La vieja tesis calvinista de que es pobre el que se lo merece elude, en las mentes de tantos americanos, el análisis estructural, la argumentación macroeconómica. Ser pobre significa no haber estado a la altura de la utopía americana, haberle fallado al país. Por eso fue tan difícil que éste aceptara una acción colectiva en favor del desheredado y por eso sigue siendo complicado que la doctrina oficial —y sobre todo la oligarquía plutocrática— acepten esquemas, siquiera sea mínimos, de acción pública en beneficio de las víctimas del darwinismo económico social en que consiste básicamente la maquinaria productiva de los Estados Unidos.

Porque, y éste sería un tercer axioma, el consenso formulado ya por los padres de la patria, y mantenido por la oligarquía wasp, es que el principal enemigo del sueño americano es la intervención estatal. Formulada una y otra vez como reacción frente a las sucesivas edificaciones de la burocracia federal, frente a cada período de afirmación gubernamental respecto a la economía, la defensa del mercado libre, de la asociación y el antagonismo de intereses se convierte en uno de esos mitos unidos a la filosofía individualista. Que el poder político americano es funcional al económico no es ninguna novedad. La emergencia de un entramado institucional diseñado para la protección del interés común frente a la depredación de los intereses particulares ha sido severamente contradicha por la alianza permanente entre el mundo de los negocios y las diversas ramas y escalones del poder. Cuando F. D. Roosevelt quiso instalar aquella modesta regulación de la economía en el propio beneficio de la recuperación capitalista, la Corte Suprema aceptó la recriminación del gran capital contra semejante atrevimiento y sólo la popularidad del presidente permitió consolidar una versión del Estado bienestar estrecha y pacata en términos europeos, pero excesiva para los defensores del sistema. La fuerza con la que se unen en la mentalidad americana el respeto a la iniciativa y propiedad privadas con la desconfianza y el desdén hacia las burocracias públicas explica cómo algunos políticos populistas han ganado elecciones enunciando una paradógica demolición del poder público, asumiendo una cruzada popular contra el hermano mayor federal.

Sólo unos matizados populismos y algunas voces críticas denuncian la flagrante interconexión entre las cúspides de las burocracias públicas y los ápices del poder mercantil. La consencuencia de todo ello es un permanente desasosiego, una ausencia de vertebración orgánica en el patriotismo americano, que está con sus soldados en la guerra, pero no siempre con sus funcionarios en la paz.

El oficio público no goza precisamente de prestigio social. La idea europea del servidor del Estado no iba en el bagaje de los peregrinos. Dedicarse al sector público, para la clase dirigente, no es concebida como una expectativa vocacional, salvo el oficio guerrero, sino más bien como una etapa transitoria. La frecuencia con la que los empresarios y los funcionarios, incluso los militares, se intercambian los puestos es la mejor prueba de esa subordinación de intereses a la que aludía Eisenhower y que ha permitido recalentar la economía después de la recesión del setenta mediante el recurso a un abultado presupuesto militar. La tesis de que el Estado debe ser básicamente un gendarme, que cuida del orden y el respeto a la propiedad, mientras las gentes corrientes van y vienen a sus negocios, forma parte del inventario de esas verdades elementales que constituyen la dieta intelectual del americano medio.

Es paradógico que una nación, constituida principalmente por emigrantes y organizada en torno al riesgo individual, rehúse una y otra vez constituir un servicio nacional de salud y una estructura sólida de protección al desheredado. El miedo a que una burocracia compasiva rompa la dinámica económica está en la raíz de semejante actitud y suministra argumentos a los que pretenden preservar la simplicidad del mito americano en las complejidades de la convivencia contemporánea.

La tesis de que América es un país edificado para que las personas individuales anuden y deshagan sus intereses a tenor de sus esperanzas y de sus posibilidades económicas con la mínima cantidad de interferencia gubernamental sólo palidece frente a la otra gran tesis, el otro gran axioma político del destino manifiesto, que se arbitró cuando el sistema se vio en la necesidad de definir el comportamiento americano respecto a sus vecinos y servidores.

Ya se ha hecho referencia a la manera cómo se afirmó la minoría blanca frente al amerindio. También es conocida la mezcla de antropología darwinista y paternalismo agrícola con que se buscó un lugar bajo el sol al esclavo negro.

La aventura hacia el Oeste, la conquista de México y las otras tierras sureñas, proporcionaron la ocasión para articular una doctrina misionera que postulaba la obligación blanca de tutelar a las razas vecinas e incorporarlas al sueño americano. La doctrina del destino manifiesto, que fue utilizada con posterioridad por el presidente Monroe para justificar el dominio hemisférico, y por el presidente Wilson para legitimar la intervención en la guerra mundial, se convierte en un logotipo del imperio cada vez que ejerce su dominio eminente. Desde la guerra fría, el destino manifiesto ya no tiene, como en su origen, una connotación principalmente económica. Ya no se trata tanto de invitar a los étnicos a un viaje al bienestar, sino de defenderlos del comunismo.

La instalación del anticomunismo en el núcleo de la ideología wasp ha sido interpretada de varias maneras. Como nueva frontera que resuelve la ausencia de mitos expansivos irrealizables en el presente. Como creación de ese enemigo que necesita la beligerancia existencial americana anteriormente ejercida sobre la naturaleza hostil. Como un modo de consenso patriótico en una nación excesivamente troceada por la lucha de intereses contrapuestos. De hecho, el anticomunismo es hoy la argamasa que cementa la solidaridad imperial y el material del que están hechos los patriotismos no ilustrados de la América rural y trabajadora —«the redneck people»—. Ni siquiera la herida del Vietnam ha sido capaz de alterar los supuestos del axioma conservador, que sigue prestando legitimación a esa misión histórica que se autoadjudican tantos políticos, empresarios, eclesiásticos y hasta académicos de la minoría wasp.

El anticomunismo es la otra cara, la versión externa, de la afirmación doméstica. La creación de ese espacio de iniciativas y libertades en que se ven inmersos los residentes de los Estados Unidos se trueca en coraza protectora para evitar la contaminación comunista, para que la mala semilla no entre en la buena tierra. De paso, el imperio se convierte en definidor de disidencias y herejías y en protector de aliados y subalternos para preservarlos del mal. La lucha contra el otro imperio —el imperio del mal— cobra así una dimensión moral omnicomprensiva y desde la política latinoamericana hasta las pequeñas batallas domésticas tienen una definición anticomunista. Los líderes de los de-

batallas domésticas tienen una definición anticomunista. Los líderes de los derechos civiles, los defensores del ERA, los homosexuales, hasta los ecologistas, saben sobradamente que cuando a sus oponentes se les acaban los argumentos *ad hoc* terminan tachándolos, abierta o implícitamente, de «soft on communism».

Los axiomas de la filosofía wasp —éstos y algunos otros menores o derivados— son lo suficientemente elementales como para no resistir el análisis de la lucidez crítica. Norteamérica ha sido, es, el país autocrítico por antonomasia. Políticos, escritores y sociólogos, líderes obreros y negros e hispanos han presentado, una y otra vez, su versión amarga de la sordidez del capitalismo como contrapunto a la predicación del sueño americano y los muchos agujeros de inteligibilidad y realización que tiene éste. La libertad de expresión, aun guisada en los pactos mercantiles del empresariado de los medios de comunicación, permite encauzar una opinión pública cuya accesibilidad a los secretos públicos y privados sigue siendo la mayor del mundo. En ese contexto de libertad y pluralismo informativos se matizan y critican los axiomas de una sociedad cuyos líderes, como los de todas las existentes, pretenden ejercer, junto al poder, la indoctrinación pública. Pero la sociedad americana es un universal demográfico que contiene una tal diversidad de intereses y perspectivas que incluso esos mismos axiomas doctrinales son analizados de acuerdo a las circunstancias de raza, condición económica, edad, situación geográfica e incluso estado de ánimo.

Los axiomas son el caparazón ideológico de una dominación. Por eso es interesante analizar el curso histórico de ésta en relación al proceso de absorción cultural de las distintas etnias emigrantes en ese período que transcurre desde la consolidación del imperio americano hasta su actual declive y eventual transformación.

El diálogo entre la mayoría anglo y las minorías se ha producido en un doble marco: por una parte, en las realidades de la dominación clasista, básicamente referidas a la propiedad y al mercado de trabajo, que está dialécticamente implicada en el largo camino constitucional y político recorrido para hacer posible que las minorías reclamen sus derechos en la tradición legal americana. Y, por otra parte, en el tejido cultural, ideológico, subproducto de la dominación, donde han ocurrido, ocurren, todas las discriminaciones, intolerancias e hipótesis doctrinales respecto de las que las minorías van produciendo reivindicaciones y afirmaciones de variado signo.

La dominación anglo prefigurada en la ley sobrevivía, deshecha ésta, en las costumbres. El factor de clase ha jugado siempre el papel principal, en una sociedad cuyos definidores han insistido justamente en la ausencia del conflicto clasista. Las respuestas de las minorías han ido variando a tenor del escenario en el que se produce la dominación. La aculturación ha sido por mucho tiempo la pedagogía más predicada y hoy es la más generalizada entre los emigrantes de segunda y tercera generación, que se han visto favorecidos, en su progresiva conquista de derechos, por las transformaciones habidas en la sociedad, tales como la urbanización, la ampliación de las competencias del Estado federal, incluso las guerras imperiales.

La integración social a la que propenden hoy las vanguardias más lúcidas se entiende, sin embargo, compatible con un pluralismo ético y estético, cultural y costumbrista, defendido en nombre de la misma riqueza y libertad del proyecto americano.

Para entender mejor esos procesos es conveniente dar un repaso a lo que ha sucedido en el encuentro de la cultura anglo con la de las etnias o grupos emigrantes más relevantes, además del hispano. Aquí hay que distinguir tres escenarios. La migración blanca, básicamente europea, que es la predominante históricamente hasta la segunda guerra mundial, en la que destacan los grupos irlandés, italiano y judío. La emigración asiática, con sus capítulos felices y desgraciados. Y finalmente las relaciones de todos con esas dos etnias traicionadas: el amerindio, subyugado en su tierra, y el negro descendiente de esclavos, cuya peculiaridad les hace compartir algunas de las situaciones del emigrante convencional pero sin que lo más distintivo de su caso, la violencia institucional que han padecido y aún padecen, sea del todo transferible.

Como bien explican Marden y Meyer, la hostilidad hacia lo extranjero estaba presente en las colonias desde su origen y distintos grupos de interés, cada uno por razones propias, manifestaban su animosidad, aunque las necesidades de la colonización lo superaba todo. La minoría wasp, desde su posición privilegiada y distante, favorecía la llegada de nuevas y dóciles manos, mientras que los primeros núcleos del sindicalismo se oponían a ello, como hoy, entre otras razones, porque los wasp acostumbraban a usar a los extranjeros como rompehuelgas.

La oposición sindical enlaza en seguida con el patriotismo popular y la xenofobia de los menos ilustrados, que se inscribe en los temores obreros a la oferta de mano de obra barata, sobre todo a partir de la abolición de la emigración bajo contrato de trabajo —una forma disimulada de esclavitud— en 1882.

Ese sentimiento queda expresado en el informe de la Comisión Dillingham, creada en 1907 en medio de la ola de emigración de la primera década del siglo, que coincide con una depresión económica. El informe distingue entre «viejos» y «nuevos» emigrantes, calificando a éstos de difícilmente adaptables a los valores y las lealtades americanas. La Ley de Inmigración de 1917 confirma, en cierto sentido, estos miedos y se cura en salud, prohibiendo, por ejemplo, la emigración a los analfabetos.

Para entonces habían ocurrido ya las dos emigraciones masivas: la irlandesa, empujada por la hambruna de la patata, ocurrida a mitad de siglo y favorecida por la navegación a vapor en barcos de hierro, y la china, mano de obra barata para la unión por ferrocarril de las costas Atlántica y Pacífica, que se inauguró en 1869. Desde 1880 a 1917 otros europeos siguen el paso de los irlandeses, destacando los italianos, que en la primera mitad del siglo dominan a los demás. Mientras tanto se restringe severamente la llegada de chinos y otros asiáticos, a excepción de los filipinos.

La ley de cuotas de 1924 marca la preferencia por los europeos septentrionales y, salvo el período de la gran depresión, la emigración blanca se mantiene intensa, con una adición especial, la de los judíos, siendo de especial intensidad la de los huidos de los regímenes totalitarios. Este es el estado de cosas hasta la segunda guerra mundial, pues poco después de ella empiezan a ser admitidos de nuevo los asiáticos y se produce la gran escalada de la inmigración hispana.

El diálogo angloeuropeo ha tenido peculiaridades nacionales. Los americanos de origen irlandés cuentan una historia de persecución y hostilidad, ejemplificada en una canción del folklore popular de 1860 citada por Fowke y Glazer en su libro *Songs of Work and Freedom, Doubleday,* 1960: «Soy un chico decente recién llegado de la ciudad de Ballyfad. Necesito un empleo y lo necesito con urgencia. Lo vi anunciado y pensé que me convenía. Pero el sucio papel decía: irlandeses, abstenerse». Glazer y Moyniham atribuyen esta discriminación en parte al catolicismo irlandés, que no enseñaba la ética del éxito individual y en parte a la rápida incorporación del grupo a la política. Efectivamente, la concentración irlandesa en los puertos de la Costa Este favorecía el que fueran utilizados en la creación de las redes políticas locales desarrolladas por el partido demócrata a lo largo del siglo pasado. La maquinaria política funcionaba a base del patronazgo y a cambio de empleo público se obtenía el voto irlandés. De ahí nace la tradición irlandesa en los oficios de cartero, bombero y policía. La corrupción resultante forma parte del clima político americano y daría pie, en la época de la ley seca, a esa red mafiosa de importadores ilegales aliados con las fuerzas del orden, que tiene su origen en la manipulación y lealtades del clan irlandés y que pronto se colorea de morenez italiana.

La reacción anglo ante la cultura irlandesa ha ido modificándose con la propia modificación de ésta. La idea del catolicismo militante en política, que todavía existe, aunque de distinto signo, en la conferencia episcopal americana, sacaba de quicio al Establishment wasp y contribuyó a la preocupación constitucional por la separación entre Iglesia y Estado.

A medida que las sucesivas generaciones de irlandeses pasaban por la escuela pública y entraban en el mercado de trabajo convencional se iban americanizando. El símbolo más reconocido de su integración es el éxito político de la familia Kennedy, apenas a una generación de los negocios turbios, que tanto ha contribuido a romper los prejuicios anglos. De todas maneras, la referencia nostálgica de la emigración irlandesa contiene un elemento de hostilidad contra los ingleses a cuenta de la dominación en el Viejo Mundo. Por eso, la ayuda a la causa nacionalista en el conflicto angloirlandés tiene un importante componente americano.

Por contra, la emigración escandinava, alemana, polaca, francesa, se ha incorporado sin problemas, desde el principio, a la corriente principal. Las lealtades americanas de tantos emigrantes de esas etnias tiene su origen en las persecuciones, de diversa índole, que sufrían en sus patrias. Desde las historias de los hugonotes, azuzados por el catolicismo oficial, hasta las de los alemanes, empujados por el fanatismo imperial y luego por el nacismo, el recuerdo del pasado conflictivo contribuye a una asimilación gozosa. Por otra parte, la cultura original de la mayoría de ellos comparte la ética protestante del trabajo duro. Con frecuencia el origen social y la educación les hacía destacarse del grueso de la emigración. Quizá el caso de máximo éxito sea el de la emigración judía, principal beneficiaria de la apertura americana a las calamidades europeas, que llegaba de Rusia, de Polonia, de Alemania, con una vocación de supervivencia y afirmación étnica cuyo cénit es la creación y mantenimiento del Estado de Israel, que es, en gran medida, criatura del judaísmo americano.

Sin embargo, en su origen, la situación judía era complicada. En primer lugar, la definición de lo que significa ser judío, siempre conflictiva a lo largo de toda la historia del pueblo, se hacía particularmente complicada en la emigración. Como toda diáspora, la emigración tuvo la virtud de exagerar en algún caso los compromisos étnicos y de anularlos en otros. Es el movimiento ondulatorio típico de las minorías desarraigadas, porque hay quien en esas circunstancias necesita subrayar su identidad y quien, por el contrario, busca el fundirse rápidamente con la nueva cultura.

La diferencia entre los ashkenazim, procedentes de Europa del Norte, y los sefarditas, mediterráneos, se traslada a la emigración, siendo los primeros la fuente del judaísmo político, intelectual y financiero, mientras que los segundos constituyen la base de ese mundo judío del pequeño comercio y las profesiones mercantiles. La solidez y la cohesión de la familia judía sirve, incluso, a los fines de inversión económica común y expansión de empresas y negocios. El mundo de la ideología americana ha estado permeado de figuras judías y, en opinión de Werner Cohn, la libertad de la nueva patria, en oposición a la censura europea, les lanzó al debate político e intelectual con un vigor desconocido hasta entonces en el Nuevo Mundo, hasta tal extremo que en el origen del socialismo y anarquismo americanos hay claras resonancias judías.

Algo parecido ocurrió en el mundo de las artes, donde la alianza entre el capital anglo y la iniciativa judía crearon los periódicos americanos menos provincianos y levantaron la industria de la fantasía y el entretenimiento que iba a ser la principal exportación cultural del Nuevo al Viejo Mundo.

Estas actividades calentaron, de cuando en cuando, el resentimiento de los anglos menos ilustrados y en el episodio del Marckartysmo, en los años cincuenta, los judíos recibieron, por primera vez en su viaje americano, una dosis de discriminación e intolerancia que les recordó su pasado.

Pero el gran tema, el que divide y antagoniza a la comunidad judía y erosiona su tradicional incorporación a los frentes más liberales del pensamiento occidental, es el apoyo al Estado de Israel. La alianza entre éste y la versión más descarnada del imperialismo americano en el Oriente Medio es piedra de escándalo para los que, subyugados por la historia del holocausto y admirados ante la calidad intelectual del pueblo errante, no acaban de entender esa mezcla de etnocentrismo superlativo y complicidad imperialista que sitúa en la vanguardia del judaísmo militante, por vez primera, a los grupos más reaccionarios y fanáticos. Esta herida abierta en la imagen judía tiene efectos importantes en la fenomenología política y cultural americanas y la discusión, a veces amarga y extemporánea, de esa alianza de intereses da pie a un antisemitismo de nueva factura. La vieja alianza americana entre los judíos y las minorías desfavorecidas, entre los judíos y los defensores de los derechos humanos, se quiebra cuando entra en juego el escenario del Oriente Medio y esas otras aventuras imperiales, de las que Israel acepta ser cómplice, como el tráfico de armas con países tan poco presentables como Sudáfrica, la Filipinas de Marcos o las dictaduras latinoamericanas. La preservación del Estado de Israel, que ha sido el factor aglutinante de esos cinco millones y medio largos de judíos americanos, se está convirtiendo también en una amenaza para la solidaridad de una minoría que, a sus contradicciones internas, añade este nuevo capítulo de confrontación.

La emigración italiana tiene mucho en común con la irlandesa. Como ésta, se origina sobre todo en la incapacidad del país de origen para mantener a sus naturales. Hambres, malas cosechas, calamidades, la estrechez del régimen jurídico de la tierra, la mecanización de la agricultura pusieron a miles de italianos a bordo de los barcos trasatlánticos en la primera década del siglo. Como los irlandeses, la mayoría eran de origen rural y en América empezaron una lenta escalada social que, como ya es clásico en la emigración pobre, se orienta, en primer lugar, a los trabajos y actividades de la alimentación. Los restaurantes italianos son hijos de aquella comida sobria y universal, la pasta, que por azares de la suerte y el ingenio de sus valedores se convirtió en un plato americano. De la cocina al comedor y la propiedad del negocio, las familias italianas se convertían en suministradores de alimentos baratos para el trabajador de las ciudades de la costa este y en cincuenta años popularizaron el invento, exportando la pizza americana al mundo entero.

El italoamericano no ha tenido grandes problemas de adaptación ni de segregación. Aguantando las bromas y los ridículos, ha sabido preservar las tradiciones mediterráneas de jovialidad y apertura, aceptando sin discusión los valores americanos. El capítulo oscuro es, sin duda, la mafia. Trasplantar la jerarquía social y las lealtades compactas e implacables de Sicilia a la realización de negocios ilegales y modernizar ese modo de gestión empresarial fue un fruto especial de la aculturación en esa zona tan americana del crimen.

El crimen organizado empezó a tener nombres y apellidos italianos con la ley seca y de aquellos años nace el dominio italiano de los bajos fondos, ahora ya más compartido con jefes anglos y súbditos hispanos, asiáticos y negros. Juicios sonados, ajustes de cuenta clamorosos siguen resonando en italiano en las zonas del vicio. Como compensación, una larga lista de nombres latinos honra el servicio público, las profesiones de asistencia social y en el partido demócrata los políticos de origen italiano representan buena parte de esa mentalidad liberal, abierta a las necesidades del pueblo, al bienestar de los desheredados. Se trata, en último término, de las dos caras de la pobreza, hechas carne en un mismo grupo étnico que ha sabido encarnar las grandezas y las miserias de la aventura migratoria, del abrirse paso duramente, astutamente, en los espacios más ásperos del neodarwinismo americano, tratando al mismo tiempo de preservar la mayor cantidad posible de solidaridad, de compasión, en sus protagonistas.

El escenario de la emigración asiática presenta también sus peculiaridades, empezando porque, al suponer la arribada masiva de una cultura claramente distinta a la anglo, despertó antes la animosidad nativa y sirvió para crear el estereotipo negativo que se aplicaría a las demás minorías. Como es sabido, el primer contingente de trabajadores chinos llegó al Oeste para la construcción del ferrocarril y allí se aposentó principalmente. Su laboriosidad, y en especial sus habilidades para la minería en la época del descubrimiento californiano del oro, provocaron las hostilidades blancas y desde 1850 se produjeron decisiones locales y estatales discriminatorias como la incapacidad para testificar en juicio, y violencias continuas que concluyeron en el acta de exclusión de la emigración china, aprobada por el Congreso en 1862 a instancia de los representantes de California. La reacción china, muy acorde a su carácter, fue la pasividad, el conformismo y el refugio en zonas propias, los Chinatown, que pronto ganarían ese ascendiente de atracción de lo desconocido y de lo morboso entre los anglos. De ese mundo oriental los anglos criticaban lo que ellos consideraban vicios, condenando a los chinos por ejercer una deletérea influencia sobre los hombres blancos. Sin embargo, los tales vicios, el juego y el opio eran antiguas costumbres chinas, incorporadas pacíficamente a su modo de vida, y la prostitución respondía, sobre todo, a una ncesidad de la emigración mayoritariamente masculina.

Aunque hasta 1952 la emigración asiática, en general, y china, en particular, fue poco menos que prohibida, América continuó siendo una válvula de escape para la demografía de Asia y por medio de turnos legales o del puro desembarco ilegal la población de ese origen aumentó, además de por los nacimientos. Pequeños negocios, como los de comida y lavado de ropa, componían unas redes de propiedad familiar y de clan, que han permitido la promoción a la educación y a las profesiones a un número creciente de chinos americanos. La dificultad del matrimonio mixto y la nunca fenecida hostilidad anglo han recortado la integración, aunque la cultura americana empieza a recoger, como estereotipos positivos, la laboriosidad y el civismo chinos y, sobre todo, el sentido jerárquico, la subordinación a los mayores, para compensar, sin duda, el individualismo económico y social del mundo anglo.

Sin embargo, la historia del éxito de la minoría asiática está hoy en clave japonesa, vietnamita y coreana, especialmente.

Los japoneses sufrieron, a costa de la segunda guerra mundial, una de las discriminaciones más injustas de la historia civil americana. Laboriosos agricultores de la costa Oeste, en donde enseñaron sus avanzadas técnicas del cultivo intensivo, fueron objeto de un internamiento militar que, aparte de sus efectos traumáticos personales, significó el práctico despojo de sus propiedades. La diáspora producida por el internamiento acarreó, sin embargo, algún beneficio, como la apertura japonesa a nuevas profesiones, la necesidad de acoplarse al medio americano y, sobre todo, desencadenó una decisión colectiva de buscar el éxito escolar, algo en lo que están triunfando brillantemente. De hecho, y en términos de rendimiento, los alumnos asiáticos de California superan a todos los demás. La solidaridad étnica ha producido también otros frutos de protección y apoyo, como el asociacionismo.

Muy cercano al ejemplo japonés está el más reciente coreano y vietnamita. Expulsados de sus tierras por las guerras correspondientes, los Estados Unidos se han sentido más obligados a aceptar esta emigración cuasi forzosa y la ha ayudado especialmente. Los recién llegados, acordes con su tradición, han elegido el camino del trabajo duro y la aplicación escolar. Los vietnamitas, con un ancho inventario de dedicaciones, y en especial la pesca, y los coreanos, en el mercado al por menor de frutas y verduras, están logrando éxitos económicos notables que, una vez más, son encarados con disgusto y algún que otro brote xenofóbico en ciertos sectores de la población anglo. Pero, de nuevo, el buen estilo de ciudadanía, el conformismo y la paciencia asiáticos, junto a la red protectora propia, logran sus efectos defensivos y, en último término, integradores.

La segunda y tercera generación de la minoría asiática, aun conservando su fisonomía propia, se ha incorporado más fácilmente y muchos de sus componentes son mucho más ávidos creyentes en el sueño americano que los nativos. Los hechos les dan la razón.

Frente a estos emigrantes más o menos voluntarios, nos encontramos con el último grupo de minorías americanas, los negros y los amerindios, caracterizados por la involuntariedad de su posición inicial, por la violencia con la que los anglos los redujeron a un estado de sujeción que carece, y sobre todo ha carecido, de elementos de comparación con los otros grupos minoritarios.

El tema negro no puede desvincularse de la institución de la esclavitud, que pasó de las Indias occidentales inglesas a las colonias americanas a comienzos del siglo XVII. En su origen, su situación no era muy distinta de la de los blancos que arribaban con contratos de trabajo forzoso «indenture labor», pero muy pronto, en 1692, una ley del Estado de Virginia declaró esclavos de por vida a los emigrantes sirvientes no cristianos, incluso aunque después se convirtieran al cristianismo. Ahí empezó la preocupación cosmética por ocultar la segregación racial, esta vez con una legitimación religiosa muy de la época. La esclavitud negra, como es sabido, fue un subproducto del sistema agrícola de plantación, que iba a ser predominante en el sur, y bien pronto la cultura blanca elaboraría un modelo patriarcal basado en la personalidad infantil que se adjudicaba al negro. De esta manera se cubrían las otras realidades de la dominación. La esclavitud anglosajona no era como la española, que otorgaba protección legal al esclavo, con un sistema de manumisión amplio y conducente al status ciudadano. Hasta muy tardíamente, en 1857, la jurisprudencia americana entendía que la definición constitucional «pueblo de los Estados Unidos» no se aplicaba a los esclavos, que eran una cosa, propiedad de su dueño. Sin embargo, la revolución colonial libertó a muchos negros, brazos para la lucha armada y para 1810 ya era libre el 9 por 100 de la población de color del sur, que comenzaba a disfrutar de mejores trabajos y mejores viviendas, aunque siempre bajo segregación. Las emancipaciones procedentes de la guerra civil produjeron tremendos problemas, tanto para la reconstrucción económica de un Sur vencido y desprovisto de mano de obra barata como para la asistencia de los negros liberados. La emigración, el subempleo, fueron las respuestas, mientras a la cultura blanca, sobre todo a la sureña, le costaba trabajo aceptar la nueva situación. De hecho, a partir de entonces la población negra encara dos tipos de antagonismos: la segregación sureña, basada en el sistema de castas, y la discriminación norteña, encauzada en los ámbitos de la vivienda, la educación y el empleo. No obstante, la emergencia de una clase media negra metropolitana puso los cimientos de las realidades contemporáneas a lo largo de casi cien años de prejuicios y ambivalencias. Es de notar que, a diferencia de las otras minorías, la negra no plantea problemas de aculturación. Los conflictos entre una cultura original, africana, y la cultura americana han tenido, tienen incluso hoy, una connotación más bien política. Se trata de afirmaciones de etnicidad militante que contradicen la realidad social. Los negros americanos han hecho una particular interpretación de la cultura del país y las referencias raciales se inscriben en el medio americano más que en la nostalgia africana. De hecho, el movimiento Raíces tuvo más que ver con una pretensión de homologación con la búsqueda de orígenes del emigrante blanco que con un rechazo a lo que ya es su realidad existencial.

El lento crecimiento de la clase media de color y esta peculiar aculturación son la explicación del por qué habitualmente la minoría negra ha preferido trabajar y reclamar dentro del sistema con una pretensión igualitaria que en muchos casos tiende a buscar la negociación antes que el conflicto.

El cambio de perspectiva se produce a partir de la segunda guerra mundial, cuando miles de soldados negros vuelven de las trincheras hermanados por sangre y sufrimientos con los blancos. El famoso mandato de la Corte Suprema de 1954 para que cesara la segregación escolar es resistido vigorosamente por la mayoría blanca en el sur, lo que irrita a los negros y causa, a su vez, mayor intolerancia y violencia entre los blancos más racistas. La televisión empieza a mostrar esos conflictos, que saltan al plano político, al electoral, forzando la marcha en masa de los negros hacia las urnas. Paralelamente crece la solidaridad étnica y la asociación para el progreso de la gente de color amplía su clientela y sus propósitos. El comienzo de la militancia es el boicoteo a la segregación en los autobuses de Montgomery, Alabama, donde emerge, en 1955, el liderazgo de Martin Luther King. Y mientras el Gobierno federal prosigue su esfuerzo antisegregacionista renacen las hostilidades entre unos blancos, que se dan cuenta de que tienen al Gobierno en contra y unos negros que estiman necesaria una afirmación más vigorosa. De ahí surge, inmerso en el movimiento pro derechos civiles, militancias violentas como los Panteras Negras y los Musulmanes Negros y afirmaciones étnicas, que van desde el orgullo radial —«blackis beautiful»— hasta el capitalismo negro.

La causa negra es hoy un capítulo de la afirmación de las minorías americanas. La cultura del color se mantiene básicamente a efectos del resentimiento de algunos grupos blancos y sus contrapuntos negros. Las discriminaciones, sobre todo la laboral y la de la vivienda, les afectan, como a las demás minorías, no tanto porque son negros, sino porque son pobres y, de hecho, en las grandes ciudades, negros e hispanos comparten la vida del gueto, el desempleo juvenil y los escenarios de marginalidad, criminalidad y desesperación.

La administración Reagan se ha caracterizado, en opinión de la mayoría de los líderes negros, por rebajar aún más las expectativas de la población de color y las cifras de estadísticas laborales y de problemas y conflictos les dan la razón, sin que los éxitos relativos sirvan de mucho consuelo a la ancha mayoría de los desfavorecidos.

La tesis de Samuel Yette, precisada en su libro: «The choice: The issue of Black survival in America», Putmam, 1971, es una explicación desconsoladora del fenómeno. Para Yette se trata de una obsolescencia de la raza negra que, por razón de los sucesivos cambios tecnológicos, se ha quedado sin razón de ser en el mercado de trabajo. La raza negra en su conjunto —según él— se ha convertido en una carga sobre el resto de la población que está mejor preparada para asumir la reconversión profesional. De ahí que para Yette las leyes sobre vivienda, drogadicción y escolaridad constituyen una persecución solapada de la minoría negra, que es cada vez más antagonizada por una represión policiaca de carácter claramente militar.

En ese contexto se inscribirían las medidas de control de la natalidad negra que, aun en declive, comparada con la minoría hispana, supera con mucho a la blanca.

Los amerindios, o nativos americanos como ellos prefieren ser llamados, constituyen el caso más extremo de colisión de culturas y de torpeza y crueldad de la cultura dominante. La historia de las relacionens entre indios pobladores y blancos conquistadores se resume en la incapacidad anglo para entender y respetar las peculiaridades de la cultura india. Los americanos blancos heredaron de la Corona inglesa, primero, un desprecio capital hacia los habitantes de los territorios que conquistaban y, en segundo lugar, una tendencia a resolver las cuestiones por medios militares. El período del control de los indios mediante traslados de las tribus, de 1778 a 1871, significa, básicamente, una estrategia conducente a encerrar al indio, nómada y cazador, en unos recintos fijos, las reservas. La operación, confiada al Ejército, recibió la humillación sobreañadida del peculiar estilo militar, aunque en realidad los indios fueron subyugados cuando se produjo deliberadamente la destrucción masiva de los búfalos, su principal alimento.

En 1871 comenzó un nuevo episodio de explotación consistente en el intento de forzar su asimilación a la cultura americana. La cultura india era, básicamente, comunitaria y ecológica. Su relación con la tierra era armoniosa. Toda la tradición oral, sobre todo la poesía, relata una historia de respetos a los ciclos de la naturaleza, un panteísmo simbólico que contiene prácticas muy concretas sobre cómo mantener los equilibrios. La cultura india no entiende el individualismo de la propiedad ni el tráfico sobre el suelo ni, por supuesto, la aceleración de la producción. La Ley Daws de 1871 rompe esa tradición, transformando la propiedad tribal en individual y declarándola negociable. A los aspectos mercantiles y políticos se une un esfuerzo de asimilación escolar y todo ello controlado por una oficina de asuntos indios dependiente del Ministerio del Interior. El impacto sobre la demografía india fue brutal, la población descendió bruscamente y ya no se recuperaría hasta 1940, en que por primera vez el censo remonta la cifra de trescientas mil personas, para casi triplicarse hasta el momento actual.

La cultura india se hace entonces esquizofrénica, pues algunos tratan de asumir la cultura americana y pretenden ingresar al mercado de trabajo viendo cómo en realidad el hombre blanco les discrimina salarialmente, además de afrentarlos con los habituales tratamientos despectivos de la mayoría. El resto que queda en las reservas apenas sabe organizarse al modo exigido por el nuevo sistema y el resultado es una creciente incidencia de alcoholismo y suicidios. La administración Roosevelt trató en los años treinta de recuperar el carácter tribal de la comunidad india y se produjo una cierta recuperación de ánimo traducido a demografía.

Pero la presión incesante del anglo, especialmente sobre la tierra y la explotación minera y forestal de los territorios indios, resultaba implacable y para 1952 se volvió a una política de asimilación con apoyos públicos para que los indios se integraran más decididamente.

En los años sesenta y setenta se asiste a un esfuerzo por proteger la autogestión india, complementado por la política de beneficencia de la época. Paralelamente, y en el clima reivindicatorio de entonces, las nuevas generaciones indias se tornan más militantes, reclaman el derecho a mantener su cultura y, sobre todo, comienzan a protagonizar una estrategia de lucha, especialmente judicial, contra quienes les negaban sus derechos. La incompetencia, y a veces la corrupción de la oficina de asuntos indios, no ha permitido hasta ahora acciones de cooperación, aunque en todo caso la lejanía entre la perspectiva india y la anglo respecto a los modos de organizar la convivencia y especialmente las agudas diferencias filosóficas entre ambas culturas no permiten abrigar muchas esperanzas.

El caso amerindio es, probablemente, el único capítulo de fracaso radical en la áspera, y con frecuencia contradictoria, marcha hacia una América multicultural. La fuerza con la que se procedió a contrariar la originalidad de la cultura india fue una consecuencia de la aplicación inequívoca de la receta anglo. La imposibilidad de crear un Estado dentro de otro Estado, como es la última aspiración de la militancia india, cierra las esperanzas para un proyecto autónomo. Como contrapartida, y aun con los costos brutales del abatimiento de la mayoría, una pequeña minoría amerindia está tratando de crear espacios cooperativos, fórmulas propias de gestión que les permitan un respiro y, eventualmente, una oportunidad, aun dentro del implacable individualismo y mercantilismo de la cultura dominante. Las voces de los ecologistas blancos les sirven de apoyo simbólico.

# Testigos

## 1. *Walter, el psiquiatra*

Walter es un judío de origen checo cuyos padres emigraron a los Estados Unidos con ocasión de la invasión nazi. Walter llegó a Nueva York en el vientre de su madre y nació dos meses después. La obsesión de su padre, psiquiatra como él, era ver a sus hijos en el camino apropiado, de modo que los esfuerzos paternos se encaminaron a conseguir su éxito escolar y luego profesional. Después de estudiar en California y especializarse en la Clínica Mayo, Walter ejerce en su clínica privada de Manhattan.

P.—Se diría que la suya es una historia típica del éxito judío de la diáspora, incluyendo el sacrificio paternal por los hijos.

W.—Es también una historia dramática, como tantas de la emigración. Tenga en cuenta que mis padres eran muy felices en su país y que él, un joven recién licenciado, nunca pudo sacar del todo partido a su carrera aquí, dada la diferencia idiomática y los problemas típicos del corporativismo profesional. Solamente el apoyo de la comunidad judía, y en particular de la checa, le permitió salir adelante y recomponer una biografía profesional no demasiado brillante ni provechosa. De hecho, tuvo que trabajar en otras cosas y en ocasiones mi madre tuvo también que emplearse para hacer frente a los gastos de las carreras mías y de mi hermano, abogado. Ahora empezamos a compensarles una parte ínfima de su sacrificio y se acaban de instalar en una nueva-casa, pared con pared de la mía, en Forest Hills.

P.—¿Cuántos años lleva usted asomándose a la psique americana?

W.—Unos quince, aunque mi convivencia escolar y universitaria fueron también un ejercicio permanente de análisis cultural. Yo era muy tímido y tendía a protegerme dentro de la comunidad judía. Pero mi padre me insistía constantemente en que me mezclara con los niños y jóvenes de otras etnias y aprovechaba la ocasión para razonarme las peculiaridades de cada caso. Fue todo un programa de solidaridad y de curiosidad intelectual y yo creo que fue decisivo para que me inclinara por la terapia psiquiátrica como profesión, aparte, naturalmente, de la influencia paterna.

P.—Parece que su padre ha marcado su vida. ¿Cree usted que esto es americano?

W.—Justamente mi primera crisis personal ocurrió cuando estudiaba en California, en aquel clima intelectual de los años sesenta. Mis compañeros me embromaban por mi constante referencia a la familia, y recuerdo que una chica, particularmente cáustica, me repetía la necesidad de cortar el cordón umbilical. Yo, con el tiempo, he podido comprender que una gran parte de la educación americana, formal e informal, consiste en la pedagogia de la autosuficiencia. A los americanos se les enseña desde muy pronto a tomar decisiones, a buscar dinero para pagar sus estudios —a mí me extrañaba al principio el trabajo estudiantil— y, de hecho, cuando te ibas a la Universidad, se suponía que ya no volvías a casa más que de visita. Yo creo que en esa educación está la base de dos trazos de carácter americano: uno, la tendencia a la autosuficiencia, a valerte por ti solo, que es un poco como la búsqueda de ratificación social, de aceptación por una sociedad que valora justamente eso, y luego, y casi en la misma línea, la interpretación de la vida como un reto, como una oportunidad para demostrar, a ti mismo y a los demás, lo que llevas dentro.

P.—América, la tierra de las oportunidades.

W.—Sí, ese es el gran mito, que, como es sabido, es un mito de la emigración. Por eso se sostiene, por el flujo permanente de candidatos al sueño. La permeabilidad de la sociedad americana, gracias a la llegada constante de emigrantes, tiene mucho que ver con la persistencia del mito. A veces los recién llegados son los que fortalecen la fe de los que llevan tiempo sin haberse abierto paso.

P.—O sea, que América no es el nuevo Israel, que mana leche y miel.

W.—Ni mucho menos. Las gentes con éxito se abren paso entre una muchedumbre de desafortunados que se quedan a los lados. Todo el mundo conoce la dureza de esta sociedad competitiva y no a todos les gusta tener que utilizar los recursos, energías y trampas que hacen falta para sobresalir. La competitividad que, como usted sabe, aquí se llama «the rat race», la carrera de las ratas, es justamente eso, una lucha casi animal por la supervivencia en un medio hostil. Eso explicaría la paradoja de que los americanos son el país que más dinero gasta en juegos de azar, como en una fórmula mágica para salir de la lucha.

P.—Una lucha que no se acaba nunca.

W.—Bueno, aquí la gran estafa consiste en que el sistema cuida de que la gente no se contente con nada. La cultura del consumo, que es un invento de la industria, significa no sólo que hay que consumir de todo, que todo el mundo debe hacer viajes de placer, sino también que hay que variar, que hay que cambiar. Ningún americano de clase media presumirá de no haberse movido nunca de su casa, de su ambiente, como se enorgullecen tantos europeos. Aquí hay que cambiar de casa, un poco como se cambia de coche, y por la misma razón, símbolo de status. Para un americano lo nuevo excita más que lo tradicional. Y ese es el gran valor implícito de la publicidad y por esa razón la gente se mata a trabajar y, como decía el periódico el otro día, la media americana es deber el equivalente a seis años de trabajo, es decir, que debes seguir trabajando seis años más sólo para pagar lo que ya has comprado.

P.—O sea, que la gente vendrá a su consulta a echarle la culpa de sus males a la televisión.

W.—Bueno, no, porque hay muchos americanos lúcidos que se dan cuenta de que sus vidas son una estupidez, pero que no pueden hacer otra cosa porque ésta es una sociedad sin alternativas.

P.—Pero en los sesenta los jóvenes se iban al campo, se dedicaban a la artesanía.

W.—Sí, pero fue un fenómeno minoritario y poco duradero. Aquí el horizonte de vida es el que le he explicado y los que no lo pueden mantener tienen que pagar, además, el precio del sarcasmo social. La sociedad americana ha institucionalizado el concepto de perdedor —loser—, un tipo que se ha quedado rezagado, que no puede ofrecer a los suyos los placeres del comprar y consumir permanentemente.

P.—Supongo que en los años de recesión la gente estará de malísimo humor.

W.—Como en todas partes, pero aquí con ese factor añadido. Ser pobre en la cultura americana no es haber tenido mala suerte o desgracias, sino no haber estado a la altura de las circunstancias. En el trasfondo de la conversación doméstica, en las reuniones, «los parties», uno escucha ese mensaje definitorio, las personas hablan del que tiene éxito y apenas hay otro relato biográfico que el de la lucha por sobrevivir, por sobresalir. Tal perspectiva es, a mi juicio, la principal causa de las depresiones americanas. Aquí la atención psiquiátrica, salvo los casos verdaderamente clínicos, consiste en compadecer al paciente por su falta de éxito y darle alguna receta para que recupere el ánimo.

P.—O sea, que usted no receta serenidad y vida más tranquila.

W.—Aunque la recete, no la escuchan. En la América urbana es muy difícil decirle a la gente que cambie de vida y trate de llevar una existencia más placentera. El tejido social americano no es como el europeo, con sus dimensiones de barrio pequeño burgués y sus protocolos de pobreza digna. Aquí la vida más tranquila significa quedarse en casa a ver más televisión. La vida va a mucha velocidad y al quedarse uno rezagado se encuentra en compañía de los perdedores, que se están quietos porque no tienen oportunidades de moverse. Aquí la gente busca, incluso, el movimiento artificial, se inventa actividades, con tal de no perder el ritmo.

P.—¿No es mucha simplificación? Porque hay otra geografía americana de menor velocidad.

W.—Sí, pero mi punto es que se trata de algo no voluntario y que va contra la tendencia principal. Incluso el americano rural organiza sus ocios en torno a la velocidad, a los consumos urbanos. De todas maneras, lógicamente, yo estoy influido por las características de mi clientela mayoritaria, la clase media urbana.

P.—La sensación que se desprende entonces es que su clientela se siente encadenada a un fatum, a una determinación social de su comportamiento bastante inevitable.

W.—Eso es común a toda sociedad organizada, como usted sabe mejor que yo. Uno crece y se desarrolla a base de entrar en unos comportamientos, en unos rituales bastante prefijados. Pero lo característico americano, a mi parecer, es más peculiar. Incluso, de hecho, aquí hay menos códigos, menos prejuicios que en Europa. Lo peculiar es que te sometas a una moral del éxito, que se traduce inmediatamente en nivel de consumo. Tú puedes variar de oficio, de ciudad, hasta de pareja, y el mensaje del triunfo social te persigue por todas partes.

P.—Usted decía antes que, pese a todo, hay mucha lucidez y, por ende, mucho desengaño.

w.—Claro. Aunque resulte muy difícil el autoesclarecimiento, porque lo cómodo es dejarse llevar, aceptar el dictamen de la mayoría. Pero aquí en América se originó el término crisis de media edad, que define un desasosiego, un inconformismo radical con lo que estás haciendo y que no es solamente algo fisiológico, el comienzo de la decadencia física. Por mi consulta pasa mucha gente que está deseando se produzca una variación sustancial en la ideología americana, unos nuevos prototipos sociales, que les permitan adecuar sus ambiciones a sus posibilidades reales, que proporcione a las nuevas generaciones un diseño biográfico distinto.

.—¿Algo así como una convivencia más solidaria, más comunitaria?

W.—Sí. De ahí la fascinación que ofrece al americano, en general, y al judío, en particular, el Estado de Israel. Israel es casi una criatura de América y en su diseño han influido esos componentes utópicos. Israel representaba otra nueva frontera, un conjunto de gentes que se iban al desierto a crear esa civilización solidaria que era imposible aquí.

P.—A lo cual favoreció mucho la inevitabilidad del modelo agrícola.

W.—Claro. El mito de Israel, además de su versión particularmente judía, con la arribada a la tierra prometida, representaba también el reencuentro con la tribalidad, ese fantasma que persigue al emigrante, el sueño, la quimera de un pasado caliente pero imposible. En la psique judía, Israel iba a reconstruirse, incluso en versión de pueblo elegido, que debía guerrear con las tribus hostiles del entorno para defender la integridad.

P.—Pues vaya fiasco.

W.—Efectivamente. Las nuevas aventuras de Israel han traído como consecuencia, entre otras, la devaluación de la identidad judío americana. ¡Quien nos iba a decir, en los años cincuenta, que Israel iba a ser utilizado como gendarme americano en el Oriente Medio, que la aventura colonizadora se iba a convertir en depredadora y, sobre todo, que el nuevo Israel iba a ser cómplice de la aventura americana más conservadora y represiva!

El Establishment judío que yo encontré era conservador, desde luego, pero sobre todo del dinero y de las costumbres, pero en veinte años, desde que se produce la utilización política del Estado de Israel, los judíos estamos aliados aquí con la gente más reaccionaria.

P.—Debe ser muy doloroso para el judaísmo intelectual.

W.—Figúrese. ¡Yo, que me sentía tan orgulloso de esa mezcla de liberalismo y activismo, que estaba dando fruto en las zonas más prometedoras de la América de los años sesenta! Siempre había un judío importante en las causas de aquella época. Asistir ahora al endurecimiento de un sionismo militante en Israel, que hace inviable la paz en el Oriente Medio y, además, por si fuera poco, a la involucración de Israel en las peores aventuras de mi país es desolador. Y lo curioso es que se ha ido produciendo lentamente, poco a poco, sin casi darnos cuenta. Yo frecuento poco la Sinagoga, pero tengo buenos amigos rabinos y de cuando en cuando me visitan o les visito. Algunos, los más viejos, están asustados del nuevo perfil del Estado de Israel y se duelen de que el lobby judío americano se haya convertido en un apéndice de la peor etapa del imperialismo americano.

P.—Pero eso será pasajero.

W.—En eso confiamos algunos. Yo tengo fe en la América plural que se nos viene, en la sangre joven, asiática, hispana, que, aunque no sea más que por la fuerza del número, deberá disolver esa petrificación de la aventura americana a la que estamos asistiendo. Creo que también ayudará la progresiva eliminación de la tensión entre los dos poderes mundiales y la creación de otros centros de poder. Pero yo de política entiendo poco. Lo que no podemos por más tiempo es compensar con aventuras exteriores el deterioro de nuestra vida doméstica.

P.—O sea, un nuevo rearme moral.

W.—Se necesita. Y no sé de dónde va a venir, pero esta civilización, que puede haber sido útil para expandir la riqueza, para romper las rígidas divisiones sociales, ya no lo es tanto para reconciliarnos con las viejas tradiciones humanistas que están en nuestra cultura. Yo no puedo leer a mis clásicos sin asustarme al ver a dónde hemos llegado. Y me desconcierta reconocer que mi terapia sirva para tan poco. Ya sé que a mayor cultura, mayor neurosis y que la lucidez nunca es consuelo para esa soledad radical del espíritu, que es nuestro destino en el mundo, pero la actual aventura americana es como una gigantesca drogadicción, que tiene un extraño y repetitivo componente pueril. En vez de a Prometeo veneramos a Supermán y en vez de robar el fuego de la sabiduría nos emborrachamos de velocidad. En términos clínicos, se trata de una adicción de raíz social, muy difícil de vencer. A veces el paciente se recupera un poco, pero recae en seguida porque las circunstancias, la presión social, son más fuertes que su voluntad y nuestras recetas.

## 2. Larry, el predicador

El reverendo Larry es un pastor baptista, de raza negra, corpulento y jovial. Se hizo hombre en su tierra natal, Alabama, y le tocó participar en el boicoteo a los autobuses que discriminaban contra los de su raza. Con tal motivo conoció a Martin Luther King, en 1956, y la suya fue una llamada instantánea a esa mezcla de ministerio sacerdotal y militancia étnica, tan propia del ministerio negro protestante. Hoy, ya maduro, pastorea a una comunidad de clase media en Washington D. C., donde es amigo de gente importante a la que corteja para solicitar ayuda con destino a su causa más querida, remediar el desempleo juvenil entre los negros.

P.—La unión entre sacerdocio y militancia política parece tener hoy menos ascendiente.

L.—Depende. La persistencia del fenómeno Jesse Jackson indicaría lo contrario, aunque la tendencia tradicional de los negros a trabajar dentro del sistema se acentúa hoy por varias circunstancias. Las cosas no son como hace veinte años ni en el plano político ni en el legal, ni mucho menos en lo social. Los negros, que estuvimos en la lucha por los derechos civiles con otras gentes, estamos hoy con las demás minorías, trabajando sobre todo en el área de las discriminaciones laborales, etcétera, en esas zonas conflictivas de la convivencia americana donde lo malo no es ser negro o hispano, sino ser pobre o vivir en el gueto.

P.—¿Cómo funciona hoy el racismo blanco?

L.—A mí no me gusta hablar en general. La recesión económica ha hecho rebrotar viejos miedos raciales, tensiones que casi habían desaparecido, pero creo que en conjunto ha habido progreso.

P.—¿No persiste en el fondo de la psique blanca esa contradicción, hecha de mala conciencia por el pecado esclavista y oscura reacción ante una raza que representa una cultura que en el fondo envidia?

L.—Creo que usted se refiere a la vieja discusión sobre el modo negro de asumir la cultura americana y su influencia en algunos sectores del mundo anglo y, sobre todo, wasp. Ciertamente, parecería que nuestros genes tienen un mensaje de comunión con la naturaleza, de espontaneidad, que en dos siglos de domesticación no ha podido ser reducido y que es justamente lo contrario de ese otro modelo de autocontrol y separación de la naturaleza de la raza blanca. A algunos amigos míos wasp les sigue molestando, por ejemplo, que los negros usemos la religión para expresar corporalmente nuestros sentimientos —el canto y el baile litúrgicos—, pero eso forma parte de la dificultad de reconciliarse con su realidad, que por largo tiempo ha sufrido la raza blanca, en su afán de marcar diferencias con los otros pueblos a lo largo de su aventura colonizadora y dominadora. Si nos ponemos un poco filosóficos, yo creo que la explosión del «black is beautiful» se produce justamente cuando los blancos descubren el cuerpo y se dan cuenta de que los negros sabemos disfrutar mejor de él y, en último término, nos asusta menos comprender que compartimos con los animales una parte importante de nuestros condicionantes fisiológicos.

P.—Algunos antropólogos sostienen que la diferencia es histórica. Que el blanco se ha sentado antes en una silla y asumido antes tareas sedentarias y por eso la elasticiad y la armonía corporal negra se irá perdiendo a medida que la raza, por así decirlo, se burocratice.

L.—No estoy de acuerdo. La alegría de vivir de nuestros escolares, ya encerrados en el aula, como sus compañeros blancos, contrasta con la seriedad de éstos. Los niños blancos han interiorizado para entonces una autodisciplina que nosotros no consideramos pedagógica. Lo malo es que para ir adelante en esta sociedad, para tener éxito, es necesaria esa mezcla neurótica de agresividad y autodisciplina y a la gente de color no le resulta fácil ese ejercicio tan artificial. Sin embargo, sobre todo esto hay mucha mitificación. La raza negra lleva tres siglos en este país trabajando con su cuerpo, con sus brazos, primero en la agricultura y luego en la industria, con recompensas escasas y, como reacción, ha tratado de crear una cultura de liberación gozosa para el cuerpo, al utilizar su vigor para la afirmación personal y la fantasía. Para castigar en cierto sentido esa estrategia, o quizá para entenderla mejor, el blanco ha utilizado dos estereotipos: la de la pereza y la de la puerilidad del negro. Pero no es que seamos perezosos, sino que el trabajo que se nos ha adjudicado y sus magras recompensas no son precisamente estímulos para conseguir esa identificación con la tarea que explica la diligencia de los que trabajan a gusto. Y el gozarnos en actitudes corporales lúdicas no es sino un corolario de nuestra situación. Pero no es, ni mucho menos, un rasgo de infantilismo. ¡Cuántos blancos nos envidian por nuestro éxito deportivo, por nuestro ritmo musical! y, sin embargo, aparte de la autoafirmación, el cultivo de estas habilidades es una manera de mejorar económicamente. El deporte y la música han sido una manera de escapar del trabajo duro, a veces brutalizante, que se nos había reservado históricamente. En lo que a veces se transforma el negro, por desesperación, es en una caricatura del blanco.

P.—Explíquese.

L.—Es una cuestión de nivel intelectual, de condicionamiento social. La toma de conciencia negra no está, tristemente, tan generalizada como quisiéramos algunos. Miles de ciudadanos negros llevan una vida estupidizante, encerrados en guetos controlados por la policía y las pandillas, con escasas posibilidades de cambiar y, menos, de afirmar su negritud. Entonces se produce ese fenómeno de caricaturización que consiste en apetecer los lujos y las fantasías consumistas del anglo, pero en términos chillones y estruendosos. Para muchos negros, la manera de sentir autorespeto es vestirse de forma extravagante, manejar coches grandes, tirar el dinero. Esos tristemente famosos líderes del hampa, que pasean sus abrigos de piel y sus mujeres enjoyadas en coches despampanantes están diciéndose a sí mismos que han logrado triunfar en términos americanos. Su nivel intelectual y moral no da para más.

P.—Pero yo veo ahí también un componente de afirmación étnica, aunque sólo sea el despliegue de colores de la indumentaria.

L.—Puede ser. Sin embargo, yo lo interpreto en clave negativa. Ese tipo de personas dan pie a la acusación de puerilidad. Como contrapartida, hay cientos de líderes negros que encarnan lo mejor de nosotros, encarnando también la versión más ética del sueño americano, que no necesitan mostrar signos estrafalarios de afirmación diferencial.

P.—Porque, ¿cuál es la diferencia?

L.—Yo creo que, aparte de esa inclinación a la armonía entre cuerpo y mente, y desde luego el color, la comunidad negra cree en su país y desde la emancipación sueña con la superación de las contradicciones y las injusticias y tiene la misma esperanza que tantos angloasiáticos e hispanos en un cambio. No en un cambio hacia una sociedad distinta, sino hacia la profundización en las ilusiones fundacionales, en una América que premia el trabajo, la laboriosidad, que tiene compasión hacia sus ciudadanos menos afortunados. Y también una América optimista, que cree en el progresivo mejoramiento de la condición humana y lo expresa, apoyando a la democracia y a los derechos humanos en todo el mundo.

P.—Abundando en las contradicciones, ¿cómo explicar la persistencia de la pobreza americana, que tiene a los negros como principales víctimas?

L.—La pobreza tiene mala prensa en este país. Nadie quiere hablar de ella, aunque sea manifiesta, porque es un mentís al sueño americano. Pero la pobreza tiene una definición para los negros que consiste en habernos sacdo del gueto agrícola de la cabaña del tío Tom, para meternos en el gueto urbano. La transformación americana de los años cincuenta consistió en sacar al anglo de la ciudad, montarlo en coche, hacer crecer los suburbios al estilo colonial y rellenar los cascos urbanos de negros. Ahí empieza, o continúa, una historia de marginación, un traslado de la segregación sureña que tiene como protagonistas a caseros y policías y, como componente principal, el empujar al negro del gueto hacia el welfare y la drogadicción.

P.—¿Usted cree que es intencional?

L.—Es un resultado. Porque nosotros hemos estado apostando a integrarnos en ese modelo de clase media a la que tantas familias negran han accedido ya a fuerza de sacrificio y desde la que dan un claro ejemplo de laboriosidad y honradez, no suficientemente reconocido. Pero el incremento de estas situaciones exige una ampliación de las oportunidades en el trabajo, en la vivienda, lo cual ha sido frecuentemente obstaculizado y, en todo caso, escasamente promovido. Como reacción, muchos jóvenes negros ridiculizan el modelo de clase media, se fortifican en la soledad del gueto y, de alguna manera, se vengan viviendo del parasitismo de las virtudes y los vicios del blanco. En un caso, la limosna del welfare y en el otro la drogadicción, en la que actúan como consumidores y pequeños camellos.

P.—¿Es tan determinante el gueto a estos efectos?

L.—En mi opinión no hay salida sin una vigorosa actividad pública dirigida a abrir dos frentes: la reacomodación urbanística y la ampliación del mercado de trabajo. Con iniciativas privadas, con caridades o con la sola fuerza de la economía sólo pasará la barrera de la discriminación una ínfima parte de nosotros. El sistema está calculado para que el negro siga la línea del menor esfuerzo, que consiste en dejarse alimentar en el gueto y dar rienda suelta a una frustración por vía de la delincuencia. Claro que esto se ha agravado por el manejo republicano de la economía y de los programas de ayuda a la formación profesional.

P.—Su análisis es una cierta confirmación de la tesis conservadora de que el welfare favorece la ociosidad y la delincuencia.

L.—La tesis conservadora no carece de interés, aunque es simplista. Pongamos el ejemplo de las madres solteras. El welfare no es, en modo alguno, un sistema de producir madres solteras, sino una consecuencia de la ruptura social del orgullo masculino. Cuando los jóvenes se hacen adultos la sociedad sólo les deja demostrar su masculinidad sexual mientras demora la laboral. Nosotros no podemos prohibir la sexualidad y nuestras mujeres no son más libertinas que las blancas. Pero en cuanto una chica se queda embarazada y el hombre no tiene trabajo ni ingresos se les hace muy cuesta arriba construir un hogar y entonces se reconstruye el sistema familiar de protección al embarazo, a la maternidad, del cual la contribución pública es sólo una pequeña parte.

P.—Pero esa vida de ocio engendrará al menos una cierta predisposición a las artes, desprovista como está del estrés laboral.

L.—No necesariamente. Es verdad que el jazz es un invento negro y creativo y en torno a la música nuestros jóvenes encuentran un cierto lenitivo a su condición. Pero no es bastante. Entre otras razones, porque lo que la sociedad anglo te está diciendo, lo que la televisión te repite es que hay que sofisticarlo todo, convertirlo en valor de cambio. Quizá el mejor ejemplo sea la corrupción del propio jazz, que es hoy una mercancía manejada por la industria del espectáculo sin la naturalidad y la sencillez del primer jazz. Y que conste que respecto al ocio hay mucha literatura. La tesis de que el mercantilismo americano tiene todo el mundo estresado, neurotizado, goza de sus más importantes excepciones en el mundo anglo. En este país, con dinero, puedes tener fines de semana paradisiacos, veladas relajantes y una sensación de seguridad de la que carecen los pobres, a los que constantemente se les amenaza, además, con la disminución del welfare.

P.—Para terminar, ¿cómo ve usted el papel de la minoría hispana?

L.—Muchos hispanos están en América contra su voluntad. Les ha expulsado de sus países la violencia o la pobreza y de entre ellos la gran mayoría piensa en volver. Yo creo que para la transformación americana tenemos que contar, sobre todo, con los hispanos nacidos aquí, con esos millones de puertorriqueños que en el Bronx, en Chicago, conviven con nuestra raza y tienen los mismos objetivos. Nosotros, en el plano eclesiástico, tenemos muy buenas relaciones y me parece que las vamos teniendo mejores en el plano político. Quizá, a excepción de Florida, donde los hispanos llegaron con mejores habilidades y nos quitaron muchos empleos, lo que produjo el resentimiento de los años setenta. Pero a la larga nos tenemos que entender porque la causa es la misma.

La conversación con el reverendo Larry estuvo puntuada por las interrupciones que sufrimos, debidas a llamadas telefónicas y visitas imprevistas de sus patronos y beneficiarios. En tres días pude comprobar cuán cierto era el título de «activista» con el que me lo habían presentado unos amigos comunes de la Universidad de Columbia, a pocas manzanas de ese Harlen hispano y negro, donde se producen los acontecimientos que Larry conoce tan bien.

# III. La presencia hispana

Como expresé en el texto anterior, y es criterio común, en los Estados Unidos hay una suficiente variedad de hispanos como para hacer difícil las generalidades e incluso para hacer desistir al estudioso de describir un grupo tan variopinto. De hecho, hasta el censo del 80 el término hispano no aparece en el lenguaje oficial y hay, por ejemplo, chicanos de extrema militancia que no quieren saber nada de los otros hispano parlantes, así como hispanos que desean olvidar cuanto antes que lo son, o los que, por el contrario, que sólo piensan en volver lo antes posible a su país de origen.

Yo creo que la creciente solidaridad y toma de conciencia común tiene que ver principalmente con dos factores: por una parte, con la hostilidad de una administración que, desde el movimiento English Only al recorte de subsidios al bilingüísmo, fuerza a los hispanos a hacer un frente unido en los planos político y cultural. Por otra, se va afianzando un movimiento, de suyo muy americano, para sacar partido a la peculiaridad hispana. Desde entidades financieras a grandes cadenas comerciales, muchas corporaciones están diseñando un proceso de acercamiento homogéneo a una clientela a la que ellos desean tratar globalmente. Como reflejo de todo ello, los mass-media se esfuerzan en encontrar similitudes y convergencias, y tratan de crear un espejo en el que se puedan reconocer todos los hispanos, aunque ello suponga, como en todo estereotipo, acentuar las congruencias y disminuir los matices.

La realidad, sin embargo, no se deja forzar demasiado y para un observador ajeno, aunque tenga tanta empatía como se nos puede suponer a los españoles, resulta bastante obvio que, tanto en América como en España, hay varias formas de ser y sentirse hispano, en razón a circunstancias de origen, región, tradiciones, condición social, educación y hasta sexo.

Sólo por el origen ya encontramos diferencias. Un nuevo mejicano, que vive en Santa Fe, como su padre y su abuelo, y que puede encaramarse en su árbol genealógico hasta tocar ascendientes españoles sin solución de continuidad, no se encuentra necesariamente cómodo con un chicano de segunda generación que vive en Los Angeles, se siente cercano a su patria chica del otro lado de la frontera, aunque aspira a fundirse en el crisol de una nueva América. Pero este mismo chicano tandrá alguna dificultad si, viajando al norte, se encuentra en Santa Bárbara, por ejemplo, con uno de esos californios que, a semejanza de los nuevomejicanos, presumen también de la pureza de su ascendencia y no están demasiado seguros de que convenga plantear conflictos ideológicos a los anglos, a los que reconocen más poder, pero menos clase.

Y ¿qué podemos decir de tantos cubanos que, aun aposentados en la Florida como en su casa, miran con el rabillo del ojo y con el corazón hacia la isla y desearían para sí o para sus hijos, una suerte de «commuting» voluntario, de la isla al continente y viceversa, como hacían algunos de sus abuelos!

Sin embargo, otros cubanos, como otros chicanos y tantísimos puertorriqueños y dominicanos, lo que desean es afianzarse en la cultura y, sobre todo, en el mercado de trabajo americano, subir la escalera social, triunfar, en fin, en la tierra de las oportunidades, cuyas peculiaridades, incluyendo sus muchas ambigüedades, ellos abrazan sin demasiadas reservas.

Y junto a todos ellos, el incesante aluvión de expulsados de esas zonas del imperio, Centro América, Chile, Paraguay, donde, unas veces las cruentas dictaduras y otras la injusticia social, obligan a tantos hispanos a hacer ese viaje al norte que la mayoría, aunque les vaya bien en él, desean desandar lo antes posible.

La hispanidad en los Estados Unidos se va convirtiendo por ello, poco a poco, no tanto en una definición étnica cuanto en un compromiso ético. Un compromiso que tiene que ver con sentirse uno cómodo con sus raíces y afirmar lo peculiar dentro de lo común, que eso es justamente lo propio de las minorías conscientes y con el apoyarse en tal autoconciencia, a modo de plataforma de cambio, de progreso, utilizándola para embarcarse en esos movimientos de renovación del panorama político, económico y social americanos.

«Reflexionar sobre mi hispanidad —comentaba un joven abogado de Alburquerque— me ha servido para entender la importancia que tiene, en lo doméstico, ser una nación de emigrantes, en donde debe prevalecer la flexibilidad, el pluralismo, la tolerancia, y también me está ayudando a comprender por qué yo no debo conformarme con ser un cliente más de la sociedad de consumo, sino un americano empeñado en hacer prosperar esa tradición occidental de humanismo y solidaridad internacional.»

Por ello, en este capítulo tenemos que afrontar tres importantes aspectos de la experiencia hispana: su carga histórica; es decir, esa memoria colectiva hecha de acontecimientos, pero también de tradiciones y paradigmas, con los que los hispanos se topan en las más profundas circunvaluciones de su cerebro, en esa confirmación cultural que han recibido de sus padres, de sus maestros, de sus libros. Esta carga histórica tiene dos orígenes entrelazados, la marca española, esa huella del primer imperio, y la experiencia latinoamericana, construida con materiales varios. En segundo lugar, hemos de examinar las dimensiones de la presencia contemporánea de los hispanos en los Estados Unidos, tanto en términos sociales y económicos como culturales y políticos. Y, finalmente, y entrelazada con esta presencia, su choque con la cultura hegemónica y los peculiares modos de acoplarse a ella, ya anticipada en mi libro anterior.

## 1. La marca española

Desde el siglo XV al XIX la historia de España tiene un capítulo americano que, unas veces resonaba con el acontecer y los conflictos de la península metropolitana y otras era él mismo causa de episodios peninsulares. Los españoles, en una de las empresas más insólitas y descabelladas de la historia universal, pretendieron construir una versión americana de esa aventura abracadabrante que fue el imperio de su Católica Majestad. A tal fin, y sin pararse en barras, forzaron culturas autóctonas, diseñaron espacios políticos de magnitud y naturaleza inverosímiles, en cuyas contradicciones fueron atrapados una y otra vez y enrolaron al Nuevo Mundo en una causa europea, la defensa de la Cristiandad tradicional contra la modernidad emergente, que tuvo una versión económica —el oro de las Indias armaba los ejércitos imperiales— y otra cultura, con cuya especificidad está construido gran parte del talante desde el que el mundo hispano dialoga, o dialogaba, con el anglosajón.

El capítulo trasatlántico de la historia española tiene casi tantos hitos y mojones al norte como al sur del río Grande. El montañés Juan de la Cosa construyó el primer mapa de las Américas en 1500 y, después de él, docenas de españoles sirven de cartógrafos del Nuevo Mundo hasta que las plumas y los sextantes anglosajones, bien entrado el siglo XVII, se afanan en dibujar, con franceses y rusos, lo que españoles, italianos y portugueses habían dibujado hasta entonces de norte a sur. Sobre esa geografía se asienta una historia, contada ya con la suficiente precisión para que ningún manual escolar, ninguna evocación al pasado americano, pueda ignorar la marca hispana. Son ya muchos los autores que han demostrado su erudición sobre la presencia española en los Estados Unidos. Carlos Fernández Shaw, cuyo libro lleva precisamente ese título, ofrece en él una copiosa bibliografía, cuya riqueza documental es paralela a ese despliegue monumental, a esa floración toponímica de calles y plazas, de valles y montañas, que se adentra profundamente en el corazón de la América anglosajona, pero que tiene su principal escaparate en Florida, Luisiana, Texas, Nuevo México, Arizona y California.

Es importante leer lo que los españoles hicieron, sufriendo y haciendo sufrir, en ese primer viaje al norte de la cultura hispana. El relato de las hazañas y bajezas, de las utopías y pasiones de aquellos hombres está escrito ya, desde varias perspectivas y ha sido también convenientemente comparado con el otro relato, la otra aventura europea que se despliega desde Inglaterra por el Atlántico norte y compone la otra colonización americana.

Los galeones de su Majestad Católica traían en su carga aperos de labranza, semillas, armas de dominación, caballos y otros animales que, en el viaje de vuelta, eran sustituidos por el oro y las piedras preciosas de la inocencia y el vasallaje indio. Pero también llevaban, no ya en sus bodegas, sino en las mentes de sus tripulantes y pasajeros, en la letra de sus códigos y memoriales, un sentido de la vida, una forma de pensar, con las que pretendieron articular su aventura transatlántica. Ese arquetipo chocó contra las realidades del Nuevo Mundo y dio paso a algo distinto, a un mestizaje, en el que confluyeron la aportación indígena, maltrecha pero superviviente, y las peculiaridades de la africanidad esclavista. Con este mestizaje chocaría la influencia anglo que era algo así como el portador norteño en el Nuevo Mundo de la modernidad europea contra la que batallaron —y perdieron— los ejércitos imperiales y los predicadores de la cristiandad imperial.

Cuando los intelectuales de la comunidad hispano norteamericana reflexionan sobre sus raíces, no siempre reconocen que han sido tres los procesos históricos influyentes. El encuentro de la cultura española con la nativas, la ebullición y cristalización del mestizaje y la dialéctica anglo hispana. Estos procesos tienen, a sus vez, varios escenarios, diferentes protagonistas y el último, el enfrentamiento o diálogo entre las versiones contemporáneas de la cultura anglo y el mestizaje hispano, aunque se juega básicamente con argumentos y lances de la modernidad, no deja de pagar tributo al pasado. A las cosas que les pasaban a nuestros abuelos y tatarabuelos comunes, a las disputas, con extraños, pero también entre hermanos, relacionadas con las diversas interpretaciones de nuestra cultura. Sin embargo, la marca española de la época era, sin duda, extraordinariamente compacta. Su implacable simplicidad convertía en fanáticos a virreyes, obispos, corregidores y amargaba la existencia a los que querían acomodar la doctrina castellana, hecha de sueños metafísicos alumbrados en las secas llanuras de pan llevar, a los valles ubérrimos, a los frondosos bosques de aquel Camino Real que los conquistadores abrieron hasta bien arriba y a cuyos márgenes habitaban gentes de vida armoniosa, de costumbres menos adustas, que de pronto, quedaron sobrecogidos por la férrea persuasión de aquellos blancos.

Los trazos de la ideología española están suficientemente a la vista. La épica de la conquista es el mejor testimonio de un modo de pensar documentado en la rica literatura del Siglo de Oro español. Caballeros y letrados, marinos, frailes y encomenderos sabían lo que hacían y por qué lo hacían y aquel supremo argumento jesuítico —el fin justifica los medios— se convirtió en herramienta de colonización y en excusa para los excesos de los más intransigentes o los más pícaros.

Es probable que la circunstancia europea que marcara más profundamente la conquista americana fuera la decisión imperial de convertir la nación española en adalid de la contrarreforma católica. El Concilio de Trento, ese rechazo radical a la modernidad de la Iglesia romana coincidió, mediado el siglo XVI, con las idas y venidas de los barcos de la Conquista y primera Colonia . El Concilio tuvo una clara presencia española y puso en marcha un furor teológico en la Península que dio sentido a la misión imperial, constituyó en protagonistas de la contrareforma a dos órdenes religiosas españolas —dominicos y jesuitas— y transformó en economía de guerra la hasta entonces razonable prosperidad castellana. La dimensión más inmediata de esta incorporación americana a la aventura católica imperial es la económica. En las instrucciones reales, en las decisiones de virreinatos y capitanías, latía la urgencia por transferir la riqueza del Nuevo Mundo a las cajas —siempre menguadas— de la monarquía guerrera. Los Austrias gastaron el oro de las Indias en una guerra de religión. Aquella aventura causaría inevitablemente la decadencia de España y sus colonias, sangradas económicamente y asfixiadas burocráticamente por un modelo de absolutismo que dejaría su impronta en el futuro.

La connotación religiosa de la conquista americana tienen una segunda, aunque no menos importante consecuencia. No se trataba sólo de que los nuevos vasallos de la Corona contribuyeran, con su trabajo y con sus impuestos, a las aventuras europeas, sino que ellos mismos fueran convertidos al catolicismo. La contundencia de la fe castellana se expresa en tantos documentos y declaraciones de los hombres de la conquista que proclaman como el primer objetivo de ella la conversión de los indios al credo verdadero. De la Tierra de Fuego a Cartagena, del Darien a Nuevo México, los frailes, en especial los franciscanos, acometían su particular empresa catequística, en la que enrolaban a militares y civiles, para echar los cimientos de la geografía eclesiástica del Nuevo Mundo, que tuvo asentamientos convencionales, como iglesias y conventos, y expresiones castizas, como aquellas comunidades indígenas —las reducciones— pastoreadas por clérigos, que eran a la vez una versión peculiar de la tradición comunal india y un modo de protegerles contra las depredaciones de sus hermanos en la fe.

En cualquier caso, la versión religiosa de la dominación española, con independencia de sus efectos apostólicos, tuvo la virtud de troquelar el carácter de aquellos conquistadores, dándoles un sentido de misión que les serviría, tanto de norte utópico para sus afanes, como de lenitivo para sus fracasos y aún de excusa para sus prepotencias.

La vida como misión en la conquista no es sino una continuación de la empresa a la que los Austrias enrolaron a los castellanos, aprovechando el impulso de la áspera confrontación con el mundo árabe, recién concluida también en nombre de la Cruz. La ideología religiosa del Medievo europeo prosiguió así en la historia española sin solución de continuidad. Para colmo, la fortuita hazaña colombina le presta nuevos cauces y primero Carlos y después su hijo Felipe galvanizan a unas generaciones de hombres haciéndoles copartícipes en la consolidación de un imperio en cuyos confines no se pone el sol. Esta ilusión colectiva no fue compartida por todos los españoles ni impidió que hubiera una picaresca, de hidalgos y pecheros, dispuestos a sacar partido de semejante cruzada. Pero la persuasión prevalente y, sobre todo, la perspectiva ideológica, estaban a favor de idealizar aquella vida de aventuras y de servicio. La mezcla de trascendencia religiosa y aventura caballeresca marcaría profundamente la personalidad española y daría una especial configuración al capítulo americano.

La idea de misión presta cierto esclarecimiento a la diferencia entre la colonización española, pródiga en realizaciones épicas, en mestizajes de sangre y cultura, en simbología trascendente, y la anglosajona, veteada de disciplina cotidiana, de iniciativas industriosas, de éxitos más palpables, en último término. Es cierto que ambas tenían detrás su propia tradición y que la inglesa estaba ya enmarcada en el protagonismo mercantil creciente de la isla y en su reciente repudio del catolicismo desde una ideología más pragmática. Hay también otros factores, como la temprana decisión inglesa de premiar el asentamiento agrícola y la autoafirmación.

El catolicismo español contenía por entonces aquel componente de desmesura tan bien descrito por Cervantes en su personaje quijotesco y esa desmesura, con su particular dimensión de agonismo existencial, de devaluación de lo terreno, que tan acertadamente describiera Unamuno, forma parte del viaje americano de los españoles.

Las proezas y las vilezas del Nuevo Mundo están marcadas por esa especie de desatino que lleva a Cortés a quemar sus naves y permite encontrar cotas y armaduras en picachos andinos casi inaccesibles. La desmesura se refleja en la pretensión de organizar un imperio ritual y protocolario en unos espacios inabarcables con apenas un puñado de letrados rodeados de rústicos labriegos. La legislación y la correspondencia ultramarina dan testimonio de aquella «determinada determinación», en cuyo auxilio siempre se invocaba a los apóstoles y arcángeles de un cielo que parecía extrañamente asociado a la empresa.

Esta especie de borrachera metafísica, tan amargamente documentada por los historiadores de la decadencia española, hacía difícil la defensa del contrapunto realista, del pragmatismo a ras de suelo, como escenifica Cervantes en los inefables diálogos del buen Sancho Panza con su dueño y señor. Allegar fortuna, administrar la renta, guardar para el mañana, eran menesteres poco propios de hidalgos.

Pero hay otro factor que se desprende del talante español de la época. Los hombres de la conquista, además de sentirse misioneros del catolicismo imperial, se sentían vasallos de una Corona que significaba, entre otras cosas, el origen, tanto de su poder como de sus iniciativas. La propiedad como concesión real y el trabajo como obligación política se contraponen, en la tradición española, a ese libre juego de los negocios, a esa sensación de independencia primaria que tiene la tradición anglosajona. Mientras los colonos americanos van roturando tierras y creando mercados, los españoles reciben encargos reales, sobre todo en la minería —el subsuelo es de la Corona— para hacer crecer la riqueza de ésta. La misma institución de la encomienda y el repartimiento, con su forzosa distribución de manos indias, significa una autorización real para enriquecerse, dentro de unos límites y con una justificación precisas.

La aventura americana acentuaría aún más aquel descrédito de la laboriosidad y la iniciativa privada peninsulares y serviría también para incrementar la dependencia ciudadana de la Corona, en aquel absolutismo burocrático que inaugurarán los Austrias. Pudo ser de otra manera. La España anterior, hecha de un pacto fecundo entre cristianos, judíos y musulmanes y políticamente descentralizada, mostró un perfil hacendoso y emprendedor hasta su violenta interrupción. El carácter representativo de las Cortes tuvo en Europa origen español y la defensa de los derechos naturales de las comunidades locales sólo se vio maltrecha por la represión de los comuneros que realizará el germanizado Carlos I. Pero primero la aventura europea y luego la americana, iban a confirmar la ruptura de las tradiciones preimperiales y a instalar las premisas del paradigma español que ha prevalecido.

El oro de las Indias no sólo iba a servir de lubricante para las guerras de religión. Iba a configurar un tipo de organización política e industrial que marcaría profundamente el futuro. El poder de los Austrias, mientras se encaminaba a sus aventuras de dominación, se despegaba de la legitimación popular y modificaba a la vez la estructura productiva. El oro llegaba casi gratuitamente y permitía comprar no sólo las armas y los arreos militares, sino también las vituallas y los utensilios. De esta manera se produjo un descenso en la producción agrícola e industrial española y un incremento de las importaciones, que duraría largamente, y que iba a ocasionar, junto a la postración de la economía doméstica, su dependencia del exterior, de los pueblos europeos más industriosos. La renta del trabajo fue preterida en benefició de la utilidad financiera y mientras la guerra era la principal inversión, no hubo manera de conciliar producción y consumo hasta que la quiebra forzosa interrumpiera aquel desgobierno. El complemento político fue la acentuación del absolutismo. El oro trasatlántico confería a la Corona, entre otras ventajas, el no necesitar el recurso a las Cortes para que votaran nuevos impuestos. Privada la democracia popular de ese mecanismo de control, el Imperio adquirió un perfil cada vez más autocrático y los reyes se sintieron inclinados a buscar su legitimación en Dios y en la historia, más que en el consenso ciudadano.

Paradógicamente, una economía de guerra, con financiación exterior, bajo el mando de una autocracia burocrática y sin control es justamente el modelo que hoy adopta el imperio americano. También los americanos de hoy han calentado su economía con la inversión militar, hacen más hincapié en la especulación que en la industria, tienen que importar no sólo capitales, sino también productos y, para colmo, en el episodio Irán Contra, han repetido esa ceremonia de ocultación y desprecio a los mecanismos democráticos de control, adoptando la misma fórmula de legitimación patriótica, cuasi metafísica, que fueron las causas de la decadencia española. Los imperios terminan pareciéndose bastante.

Sin embargo, la dependencia ciudadana de la voluntad real era mucho más rotunda en la España de entonces porque el tejido político social tenía menos espacio para la complejidad y porque ser súbdito de la Corona imperial era un título que encajaba bien en la mentalidad barroca de la época, apenas abierta a las dos modernidades de la psicología postmedieval, que son la construcción del yo y la relevancia del presente.

La construcción del yo, ese lento desapego de la funcionalidad individual al grupo, ese poner distancias, sobre todo mentales, entre mi vida y la de mi familia, mi patria, mi iglesia, se convertiría, en los años de la Reforma y la Ilustración, del brazo del protestantismo religioso y la democracia política, en uno de los quicios de la modernidad. Que yo sea intrínsecamente más importante que mi grupo y que la moralidad de mis actos venga dada por su voluntariedad y no por la lealtad constituyeron una especie de herejía del catolicismo histórico. Al mismo tiempo, desenchufar mi existencia del peso normativo de las tradiciones; es decir, intentar vivir cara al presente y no al pasado, significa un repudio de hondas fidelidades. Durante mucho tiempo, la sustancia de la personalidad en la doctrina de la contrarreforma, consiste en la fidelidad y en la lealtad. Fidelidad y lealtad a una manera de vivir vertebrada jerárquicamente dentro y fuera de uno mismo e interpretada por los superiores, por aquellos que en la familia, en la iglesia, en el Estado, han recibido la misión de guiarnos, premiarnos y castigarnos, como en un preludio de esa función docente y retributiva, pero siempre paternal, del Dios de los ejércitos, del Dios de Lepanto, que es padre, que es juez, pero que también es Rey.

Los españoles de la época beben tal doctrina en la literatura del Siglo de Oro y especialmente en esa especie de teatro popular teológico, que son los autos sacramentales. Calderón de la Barca es particularmente expresivo y en dos de sus obras, «La vida es sueño» y «Fuenteovejuna» nos da las claves de la ideología de la época. En «La vida es sueño» hay una doble referencia: Por una parte, a la devaluación de la aventura terrenal o más bien a su adjetividad. La bruma mental que se enseñorea de sus protagonistas y que termina convirtiendo la ficción en realidad, tienen como fundamento la radical ilusión de lo perecedero, la gratuidad de la existencia. Es una versión determinista de la voluntad divina que convierte a los hombres en marionetas y en sujetos de un trágico destino temporal, sólo redimible por la fidelidad.

La segunda referencia es la vida como representación teatral, la conciencia de actores que los hombres tienen, interpretando un papel adjudicado por Dios y sus valedores terrenales, estando todo el mérito personal, también, en la fidelidad con la que cada uno se ajuste a ese papel, al puesto que ocupa en la familia, en la corte, etcétera.

La funcionalidad del destino individual al colectivo se torna aun más trascendental en «Fuenteovejuna» donde el límite a la soberanía real se viste de un ropaje teológico, de la única invocación pausible para la afirmación personal y grupal. «Al rey la hacienda y la vida se han de dar, pero el honor es patrimonio del alma y el alma sólo es de Dios».

Aquella mentalidad tan peculiar marca poderosamente la aventura americana de los españoles, capaces de las mayores proezas, pero también de las mayores crueldades porque, en último término, la verdadera vida empieza con la muerte, ésta es apenas un sueño, una representación o, como diría Teresa de Avila «una mala noche en una mala posada». Sin embargo, de esa misma interpretación teológica surgirían las principales contradicciones. Porque también la doctrina del Siglo de Oro va a alumbrar una teoría de la justicia que servirá para condenar los abusos de la dominación sobre los indios y para fundamentar, aunque con materiales de la misma tradición, una alternativa ideológica que empalmaría con la modernidad. Se trata de las contribuciones de Vitoria, Sepúlveda, Las Casas y otros teólogos del derecho de gentes, que elaboran una teoría de derechos humanos para los indios, enarbolada no siempre con éxito y, sobre todo, una hipótesis de la justicia como instancia superior a la voluntad real.

De la mano de esa teología surgiría una corriente de teoría política, encarnada por Baltásar Gracián, en cuyo Criticón están las semillas de una concepción democrática del poder. Por su parte, la picaresca encauza el desengaño del pueblo con la corrupción de la autoridad para componer el variopinto retablo de la oposición, primero popular y, más tarde, ilustrada, a la prepotencia imperial.

Desde la desmesura quijotesca hasta la devaluación agónica de la aventura humana, pasando por el secuestro grupal de la personalidad individual, la marca española, que sólo empalmaría con la modernidad a través de su peculiar afirmación del derecho de gentes, va a dejar su huella en la cultura hispana. Se trata, sin embargo, de una huella que se disipa con el tiempo, que apenas encuentra ya sitio en el currículum de la escolaridad contemporánea y que muchos niños, muchos jóvenes hispanos, confinan al mundo de la imaginación, de la alegoría, donde cohabita con las otras leyendas, los otros mitos de la prehistoria americana. «De poco sirve ya —comenta una maestra del Paso— subrayar la inspiración, los valores positivos de aquella cultura. Resulta tan contradictoria con la vida cotidiana de los alumnos de hoy, tan alejada de sus expectativas y experiencias que casi pertenece al mundo de la ficción, del cómic. Y así lo entienden ellos.»

## 2. La experiencia latinoamericana

La otra carga cultural de los hispanos en Estados Unidos es su experiencia latinoamericana. En algunos es apenas un recuerdo, no tan lejano como el español pero sí lo suficientemente alejado de su presente como para que no sea muy relevante en su vida. En otros, por el contrario, significa la presencia cotidiana de la biculturalidad, porque viven en la transhumancia, o porque están recién llegados, o incluso porque, en la casa, el papá, la mamá, o los abuelos se pasan la vida añorando algo que los más jóvenes conocen casi como turistas. Finalmente, existen esos hispanos concientizados del imperio, que saben analizar los lazos, la trabazón del norte con el sur y que utilizan su experiencia latinoamericana como punto de partida para corroborar su lucidez histórica y articular sus señas de identidad.

Muchos hispanos se han acostumbrado a leer, a oír, las excelencias de las civilizaciones precolombinas que se les presentan como una antítesis benigna de los sucesivos imperialismos invasores. Parece que las etnias precolombinas del sur, menos nómadas que las del norte, funcionaban tribalmente, en torno a una economía comunitaria y autosuficiente. Su cultura era básicamente ecológica de modo que, como los otros amerindios, vivían en armonía con una naturaleza, cuyos ciclos y fuerzas estaban simbolizados en sus ritos y religiones. Sin embargo, para cuando los españoles llegaron, dos imperios, el azteca y el inca, habían completado su dominio sobre grandes porciones de América del Sur y puesto en marcha una organización política, de control y subyugación de aquella red de tribus antaño autosuficiente y autogobernada.

Cualesquiera que fuera, pues, el talante de la población precolombina, su historia posterior es básicamente una historia de sujección, de calamidades, sufridas a manos de los sucesivos señores. La cultura resultante es un mosaico de costumbres y ritos supervivientes, de mescolanza con los modelos hegemónicos y, eventualmente, de ese proceso de acomodación, reacción y síntesis en que consisten los mestizajes. La economía de los conquistadores, primero los españoles, con su énfasis en la minería y la ganadería, y después los anglosajones, con su insistencia sobre los cultivos de plantación, desbarató las fórmulas de organización de los nativos y contribuyó a erosionar sus señas de identidad. Finalmente, como para sellar aquella intromisión violenta, se produjo una reclasificación social, en la que el mestizaje se convertía en un factor adicional a la división entre blancos e indios, propiciando lo que más tarde sería la base de la nacionalidad latinoamericana aunque al precio de ahondar la brecha que separa al indio del resto de la población. De entonces acá existirá esa triple condición, blanco, mestizo e indio, que se solapa entre lo étnico y lo clasista, que sigue siendo ocasión de conflicto y sirve, en todo caso, para acentuar la dependencia latinoamericana.

Para complicar las cosas, o enriquecerlas aún más, a poco de consolidarse la conquista, la sangre negra se incorporó al acervo común y del esclavismo africano surgen fusiones y entrecruzamientos del que es particular exponente la otra cultura latinoamericana, la que nace de la aventura portuguesa en el Brasil y que, con modos parecidos a la española, va a terminar en otro mestizaje que empalma tanto con el criollo español como con el creole caribeño.

La fragmentación de Latinoamérica en un conjunto de naciones es consecuencia de un triple factor: la división administrativa colonial, con virreinatos centralizados y directamente conectados con la metrópoli, las guerras de independencia, con sus pactos y azares, y la ausencia de ese acuerdo panamericano que estaba en las intenciones y las esperanzas de Bolivar. Ello marcaría profundamente lo que ha sucedido después.

La fuerza de la penetración económica extranjera, primero la europea, sobre todo la inglesa, y luego la norteamericana, no se explica sin ese mapa multicolor de soberanías distintas. La creación de lealtades patrióticas y la subsiguiente afirmación de identidades distintas, y aún contrapuestas, está en el origen de una debilidad institucional del hemisferio sur que ha sido el mejor aliado de su dependencia. Cualquier análisis del colonialismo pasa por la interpretación obvia de la ausencia de unidad de los subyugados, algo que se prolonga en el presente, con las dificultades de alumbramiento del mercado común latinoamericano.

En el libro anterior, he tratado de explicar los trazos gruesos de la americanización de América Latina, describiendo la fuerza con la que el imperio americano ha ido consolidando en su extremo meridional una red de intereses mercantiles y una estructura política y militar de apoyo que se cierra, en los años ochenta, con esa imponente argolla de la deuda financiera. La versión cultural del dominio es la americanización de las costumbres de ese instrumento de mediación que es la clase media urbana, cuya contradictoria ideología llega hasta construir los símbolos y los argumentos de la afirmación nacional con materiales de la democracia anglosajona.

La dialéctica imperial en su flanco sur tiene, como hemos visto, imponentes consecuencias domésticas, y no es la menor el incremento de la importancia que está adquiriendo, en la afirmación hispana del norte, la experiencia latinoamericana. Porque ya no se trata de una nostalgia por modos de vida distintos, ni siquiera de esa organización dualista de la vida, que impone los modos anglos en el trabajo y la vida pública y los latinos en casa y en la vida privada. Se trata de la porosidad creciente de la frontera, de la facilidad con que la población hispana se corre de sur a norte y viceversa. Se trata también de la conciencia que van teniendo los más instruidos, los más lúcidos, de que la suerte del Continente es común y de que las próximas etapas, aunque consistan en debilitar la prepotencia del liderazgo anglo, consisten también en idear un más amplio mestizaje, cuyo contenido ético y estético sirva para quebrar esa incongruencia histórica de la dominación neocolonial.

«La experiencia latinoamericana es hoy, para nosotros, una especie de concientización política —comenta un maestro puertorriqueño del Bronx neoyorquino—. No queremos seguir con la nostalgia de un modo de vivir que ya no tenemos ni casi comprendemos, sino con la esperanza de cambiar las cosas en el sur a través de la transformación del norte.»

La experiencia latinoamericana era, para muchos hispanos, un recuerdo de circunstancias cotidianas más humanas y entrañables que la dura pelea norteña, una afirmación de vínculos cercanos —con la omnipresente familia en el centro— que dan sentido a la vida. Pero, con el paso del tiempo y la exasperación de las condiciones en el sur, es otra cosa distinta. Es la pobreza y el desamparo rural y el hacinamiento y la desesperación urbanas. Es la brutal diferencia de clases, que se agiganta, entre los barrios altos, con césped y guardaespaldas, y las villas miseria, sin apenas luz ni agua. Y es, sobre todo, esa caterva de dictaduras represivas, algunas buenas amigas de Washington, que están en guerra con su propio pueblo y propician la estampida humana hacia el norte.

«El perfil antropológico latinoamericano está variando y diversificándose —comenta un poeta chileno, recién llegado, que malvive dando clases en Nueva York—. La tradición de convivencia rural, sobre la que están edificados casi todos nuestros mitos y ritos, ha empezado a perderse. Ya apenas existen esos pueblos, esas pequeñas ciudades que salen en los relatos de nuestros grandes fabuladores. La fuerza centrífuga de las ciudades, con su interpretación superficial de la cultura «gringa», llega a todas partes, Sólo queda, en el altiplano, en algunas zonas, la cultura india, encerrada sobre sí misma, privada de continuidad, porque sus jóvenes la están abandonando progresivamente.

Con mucha frecuencia, los hispanos de Estados Unidos se quejan de que, en sus viajes a la patria chica, resultan ellos mismos más nacionalistas, más castizos que los que se han quedado. «La mayoría de mis amigos se quiere venir para el norte —cuenta un comerciante californiano, oriundo de un pueblo de Oaxaca— y están más agringados que yo. Yo, cuando voy, compro corridos y rancheras y ellos escuchan country y rock.»

La experiencia latinoamericana conforma también esa peculiar multinacionalidad de las nuevas generaciones de hispanos, parte de los cuales se sienten cómodos tanto en inglés como en español y no renuncian a nada, porque viven esa particular velocidad de los medios de comunicación y transporte que los sitúa, a voluntad, a ambos lados del caleidoscopio cultural. «Y aún más —me insistiía un joven alumno de high school en Los Angeles—. Yo creo que me van a pasar más cosas, que me voy a sentir también cerca de los asiáticos del Pacífico y de ustedes, los europeos.

La apertura a lo universal, la quiebra de la América pueblerina y cerrada en sí misma, ha sido consecuencia de las guerras, del comercio, pero puede perfectamente ampliarse a partir de esa experiencia latinoamericana de los hispanos. Ahondando en su pasado transatlántico, recogiendo lo mejor de su condición de emigrante, de su mestizaje, la minoría hispana más joven está en condiciones de proponer y compartir perspectivas americanas más amplias, en compañía de sus coetáneos, nacidos, como ellos, en plena época espacial.

## 3. Demografía

¿De cuanta gente estamos hablando? Es la pregunta cuya respuesta divide a los especialistas. Por varias razones. En primer lugar, el documento estadístico básico, con el que todos trabajamos, es el censo oficial, cuya última versión, la de 1980, se ha quedado un poco atrasada, aunque constantemente se estén haciendo extrapolaciones, encuestas puntuales.

En segundo lugar, y dado que la calificación de hispano es una autodefinición, no todos los que la poseen deciden declararla oficialmente. Tenemos también el importante sector de indocumentados, personas que no figuran en el censo, apenas dejan huella de su ubicación norteña, parte de los cuales forman parte, además, de la peculiar transhumancia en que consiste la vida de tantos hispanos. Los puertorriqueños y los mejicanos, sobre todo, van y vienen de la isla al continente, o cruzan la frontera con la suficiente frecuencia, como para desalentar a los demógrafos. En todo caso, hay una especie de consenso en torno a la cifra de veinte millones, aunque si algo se puede predicar de este universo en su fluidez. «Y desde luego, su crecimiento exponencial» —subraya un funcionario federal de los muchos que en la oficina de Human Resources se encargan de esos cómputos sobre los que se basan después el volumen y la distribución de los servicios públicos.

Efectivamente. Un reciente estudio calcula que la población hispana de los Estados Unidos está creciendo tres veces más aprisa que el resto de la nación, y que para el año 1020, doce de cada cien residentes de los Estados Unidos serán hispanos. De hecho, la proporción para el fin del siglo es de algo más de veinticinco millones. Aunque algunos especialistas incorporan a ese crecimiento el factor de nuevos emigrantes, sin embargo, lo fundamental es la fertilidad hispana que tiene un componente cultueral, pero que posee también una indudable connotación demográfica; la media de edad de los hispanos, aunque está creciendo, es de veinticinco años; es decir, la edad de la fecundidad.

Esta fecundidad tiene una excepción, constituida por los cubanos del sur de la Florida. Dada la edad media de los emigrados en los años sesenta y setenta, y la posición del Gobierno cubano contratraria de la emigración joven, la edad media de los habitantes cubanos del condado de Dade en Miami era de 40,5 años en 1980, mayor que la del condado en general, que era de 34,7. Sin embargo, y salvo novedades en las próximas transhumancias, la mayor edad cubana está ampliamente compensada por la juventud mejicana y puertorriqueña. En el año 2000, la media de edad hispana será de veintiocho años, comparada con treinta y ocho en general.

Los hispanos están mayoritariamente en el mundo urbano. Destaca la población hispana de Miami, con el 43 por 100 del total. En los Angeles, casi el 30 por 100 de sus habitantes son hispanos. Nueva York, el 20 por 100. San Antonio y Houston, el 18 por 100, Chicago, Phoenix y San Diego, el 15 por 100 y Dallas, el 13 por 100.

En Nueva York y Chicago predominan los puertorriqueños, en Miami los cubanos y en el resto, los mejicoamericanos.

Los especialistas han construido toda clase de clasificaciones y comparaciones entre estas tres principales clases de hispanos y la variedad resultante es precisamente una de las razones para no hacer demasiadas generalizaciones al respecto. Sobre todo, si añadimos la creciente presencia de ese mosaico de dominicanos, salvadoreños, guatemaltecos, etc., que se aposentan en el norte por diferentes razones, unas más dramáticas que otras.

La resultante demográfica más visible es una cierta mayor morenez de la población estadounidense. El tema del color de la piel ha sido una de las obsesiones seculares de la raza blanca. Basada en ciertas connotaciones racistas de la Biblia, la supremacía blanca conllevaba la superioridad del color del conquistador frente al de quienes iban siendo objeto de las sucesivas colonizaciones. «Era como una especie de legitimación añadida a los otros argumentos justificadores de la subyugación» —comenta un estudiante de antropología, de raza india, en Alburquerque. Primero los cobrizos, y luego los negros, llevaban en su rostro el color de la inferioridad, una especie de invitación a sojuzgarles. El tema de la discriminación anglo por razón del color está cantado en América principalmente con acentos negros. La afirmación reivindicativa —Black is beautiful— forma parte del inventario de novedades de los años sesenta, como una especie de revolución psicológica desde la que se hicieron después nuevas invocaciones. Entre ellas, sin duda, la ya mencionada aceptación del cuerpo como determinante biográfico, como instrumento de acercamiento e identificación con una naturaleza que el blanco tiende a dominar, entre otras formas, distanciándose de ella.

El mestizaje sureño, con diferentes grados de morenez, es un factor añadido a las características de la minoría hispana y, con el crecimiento de ésta, la problemática se amplía. Las calles de Los Angeles, Nueva York, Miami, presencian el paso de los cuerpos más ondulantes y los rostros más cetrinos de sus ciudadanos hispanos, contribuyendo, por una parte, a que el negro se sienta más cómodo y, por otra, a que el universo filogenético americano pierda esa aspereza y esa unidimensionalidad que está en la raíz de algunos de sus determinaciones inconscientes. La demografis hispana tiene, por consiguiente, esa dimensión añadida. El «dago» latino de la frotnera, el «morenito» de la vieja colonización dominadora, es hoy un ciudadano americano que quiere ser juzgado por sus obras y no por el color de su piel y que no cree que ser blanco signifique ser más inteligente o más bondadoso. En todo caso, piensa, ser blanco ha significado históricamente tener más dinero o más poder y ello no es necesariamente una descripción enorgullecedora.

## 4. Residencia

La primera peculiaridad que marca la condición hispana en los Estados Unidos no la distingue de las otras minorías. La historia de los hispanos en América está contada inicialmente desde la pobreza de las viviendas de la primera hora. Cambiar de futuro, de status, tiene que ver, sobre todo con el cambio de vivienda, de barrio.

El sueño americano, desde los años cincuenta, incluye la posesión de una casa propia, con su pequeño o gran jardín, desde la que uno se marcha cada día a esa aventura cotidiana —y para tantos infernal— del «commuting» y a la que uno regresa, en busca de las comodidades del hogar electrónico. En este país, como en todos, naturalmente, pero con más avidez, el mercado de la vivienda es un escenario de afirmación social, donde probar la ambición, que, para muchos, se convierte en un pozo en el que hipotecas y divorcios les hunden en los infiernos de la deuda y la estrechez.

Los hispanos de la costa este, es decir, principalmente los puertorriqueños, tuvieron que conformarse, por mucho tiempo, con compartir con los negros los guetos urbanos. Harlem y el Bronx han sido, son todavía en gran medida, ese patio de vecinos en los que la gente latina inicia su carrera de obstáculos en la tierra de la competividad. Salir del gueto, con todo lo que esto significa, es la primera demostración de éxito, aunque el precio, en ocasiones, sea perder la solidaridad que los hispanos habían recreado en estos espacios de la primera etapa migratoria. Paralelamente, las grandes ciudades sureñas, los Angeles, San Antonio, han ido quedando preñadas de hispanidad en zonas que la especulación urbana, la solidaridad étnica y también el control policiaco, marcaban para un mismo fin.

En todas ellas se reproducen el colorido y la peculiaridad organizativa del barrio mejicano. Allí encuentran apoyo los recién llegados, allí se amontonan para dormir y cohabitar con primos y parientes cuantos aún no tienen techo propio, y allí, antropólogos y asistentes sociales acuden para ejercer su oficio tutorial y tomar nota de las costumbres de los nietos de Sánchez.

Algo parecido ocurre en la Florida cubana, en la pequeña Habana de Miami, aunque el dinero y la iniciativa han roto antes con la reclusión, y los condominios y las urbanizaciones hispanas se confunden con las anglos, recreando el tejido de la clase media isleña, en la que convivían cubanos y gringos.

Los líderes hispanos subrayan la importancia de la propiedad de la vivienda, junto con el éxito educativo, tanto para mejorar la calidad de vida de la comunidad como para la puesta en marcha de la ascensión social individual y hasta se ha constituido una corporación, Eighteen Street Development Corp, en Chicago, para propulsar viviendas de bajo costo que, en diez años, ha comprado y renovado edificios urbanos donde los hispanos se juntan para conseguir ese sueño de la casa propia.

Docenas de iniciativas locales buscan mejorar las barriadas pobres, ese gran tema de la coalición proteica de negros e hispanos que pretende la remodelación urbana como una forma de contrarrestar ese otro movimiento especulativo, la «gentrificación», que trata de expulsar a los pobres de sus guetos.

Se trata de una lucha muy extendida en la que se juegan muchos miles de millones y que representa la nueva faz de la discriminación. Con el cebo del adecentamiento urbano, y con una mano tendida a los negros e hispanos de mayores ingresos, se persigue con la gentrificación alejar de las ciudades a esa población sumida en la pobreza estructual cuyo último refugio, el gueto, se pretende «conventrizar» antes de rehabilitarlo. El resultado aparente es que hay sectores, de Nueva York, de Los Angeles, hasta de Miami, donde parece que acaba de tener lugar un bombardeo. Las casas no tienen energía ni agua, los fuegos, intencionados o casuales, están a la orden del día y sus habitantes empiezan a tener la mentalidad de campo de concentración.

«Es como otra vuelta de tornillo a los pobres —comenta un policía negro de Harlem—. Hace treinta años, nos metieron aquí y los blancos se fueron a los suburbios. Ahora nos quieren echar de aquí pero no nos dicen a dónde. Parece una operación de exterminio, en la que no falta más que los trenes en los que se llevan a los judíos. Y a nosotros, a los policías, no nos queda otra función que la de reprimir las consecuencias de esa frustación.»

Se corre la voz y por eso, muchos tejanos, en vez de consolidar su viaje al norte prefieren las ciudades fronterizas. Tijuana, Ciudad Juarez, son hoy barrios hispanos con renta americana, en las que las miserias del clasismo urbano se negocian de una manera más humana. Mientras tanto, las chabolas de la América rural, esos conglomerados de lata y cartón que acojen a los hispanos temporeros, representan la forma en que el norte se parece al sur y en que el viejo sur recupera los uso y costumbres de la plantación donde los esclavos negros vivían alejados de la casa principal, compartiendo con los animales las comodidades de establos y graneros.

## 5. Trabajo y economía

Una de las grandes paradojas de la Américas contemporánea es la forma en que los mensajes anglo y latino acerca del trabajo se han entrecruzado. Crecientemente, méxico-americanos en el suroeste, puertorriqueños en el oeste y, sobre todo, cubanos en la Florida, llegan a los treinta, a los cuarenta años de edad, convencidos de que no hay mejor perfil biográfico que el del trabajo duro, la competitividad, y la satisfacción por la recompensa merecida. La hostilidad inicial del medio y su paso por el sistema educativo, les han convertido en ciudadanos ejemplares del darwinismo social en que se desenvuelven. Su forma de aceptar, casi incondicionalmente, las reglas del juego, les lleva a repudiar esa otra tradición doméstica que escucharon a sus padres o abuelos o que leyeron en aquellas novelas, en aquellas poesías, de la vieja hidalguía o de la suave pereza de sus mayores. Son los mejores defensores del sistema de libre empresa, del sueño americano que, como decía aquel cínico: «consiste, sobre todo, en dormir poco».

Estos hispanos, redimidos a la causa de la americanización, se averguenzan de escuchar las historias de familia que ponen de relieve la flojera de tantos primos haraganes, y saben articular con elegancia el discurso del menosprecio norteño al sino maldito de América Latina.

Por contra, tantísimos anglos, expuestos en su infancia y juventud a las invectivas antiinstitucionales de los años sesenta, reconocen privada y aun públicamente que el «rat race» es una locura, que el sistema se encamina a su autodestrucción y que el mensaje latino de laboriosidad funcional a la vida es mejor decálogo que el que les enseñaron sus mayores. Son, por consiguiente, candidatos a retirarse pronto, a tomar las cosas con calma y a descubrir ocupaciones de autorealización, cuando se convencen de que el sistema es irreformable.

El entrecruce de mensajes y clientelas puede entenderse desde una sencila interpretación clasista. Los pobres, los que empiezan su biografía desde cero, necesitan autoconvencerse de la importancia del esfuerzo, necesitan jalearse a sí mismos, con una autoindoctrinación justificatoria, mientras que el que tiene, el que no depende tanto de su laboriosidad, y prueba las bondades de la vida muelle, se convierte automáticamente en ardiente defensor de ella, aunque tenga que aceptar la necesidad de predicar la doctrina de la justificación por las obras a los que están por debajo de él.

Esta neurosis constituye uno de los epicentros de la redefinición cultural de la América contemporánea que, por una parte, asiste al crecimiento imparable de las economías asiáticas, que perfeccionan el mensaje de la americanización laboral, al tiempo que los obreros metropolitanos empiezan a practicar la molicie —y sobre todo las malas prácticas— de sus capataces.

Los americanos autocríticos se duelen una y otra vez de que los productos, los servicios propios, ya no son lo que eran, de que los ingenieros y los obreros ya no son tan de fiar y lo achacan a esa molicie sobrevenida, a esa infatuación con la buena vida que les sobrevino a tantos anglos desde que el trabajo industrial, ya no sólo el agrícola, cayó en otras manos. El éxito de los productos japoneses tiene que ver tanto con su precio como con su calidad, algo que han aprendido amargamente los ejecutivos de Detroit.

El perfil étnico de las ocupaciones, accionado singularmente por el proceso de selección meritocrática del sistema educativo y la cooptación familiar, significa que los anglos están preferentemente en el mundo del comercio, las finanzas y los peldaños altos de las profesiones y las burocracias públicas y privadas, mientras que los emigrantes en general han competido, primero con los negros por el trabajo sucio y luego, lentamente, se han ido encaramando a los tramos superiores pero sin llegar de una forma visible a las cimas. En ese sentido, la reivindicación por la acción afirmativa encuentra reunidos, en curiosa alianza, a los negros, a los emigrantes y a las feministas, coaligados contra todas las versiones del machismo anglo.

Las explicaciones psicologistas no son, sin embargo, suficientemente convicentes para explicar las vicisitudes del trabajo hispano en América. Cuando, en los años sesenta, la emigración hispana, sobre todo, la puertorriqueña y la mejicana, dio un gran salto adelante, estaba reflejando, tanto la pobreza endémica de sus lugares de origen y, sobre todo, su secular incapacidad para proveer de trabajo a sus habitantes, como los nuevos datos de la economía norteamericana. En Estados Unidos estaban pasando cosas importantes. En primer lugar, la maquinaria productiva, cebada por los gastos de las sucesivas guerras, producía empleos en todos los sectores que los anglos ya no querían para sus hijos. No sólo se trataba solo del trabajo agrícola temporal, el primer gran destino de los mejicanos, sino de esas ocupaciones rudas y escasamene gratificantes, en la industria y en los servicios, que los hispanos, y especialmente los puertorriqueños en la costa este, compartían con los negros. Pero además América empezaba a ser, con la teoría de la gran sociedad de Johnson, un país compasivo, en el que los pobres y los desamparados recibían una ayuda pública, en comida, en asistencia médica, incluso en dinero, que, en términos hispanos, era mejor que trabajar en la miseria rural latinoamericana.

Es en este escenario de los sesenta en el que brota la afirmación laboral hispana porque, comenzando desde abajo, en una economía boyante y flexible, muchos de ellos entraban en esas avenidas de progreso que les contaban sus parientes pioneros. El trabajo duro, más la reconversión profesional y los estudios, significó mucho para tantos hispanos que tenían, además, la red de seguridad de la beneficiencia pública para amortiguar los fracasos.

Veinte años después, las cosas ya no están como entonces. Ni la economía es boyante ni la Administración pública excesivamente compasiva y, para colmo, los conflictos del imperio —América central, el sur de Asia—, siguen haciendo afluir nuevos desarraigados a la metrópoli.

Desde 1978 a 1986 el número de adultos pobres entre lós 22 y los 24 años de edad ha crecido en un 54 por 100. Son unos siete millones de americanos que trabajan en empleos miserables o que trabajan por poco tiempo. Incluso dos millones más trabajan a tiempo completo y siguen siendo pobres. La pobreza en América, como en todas partes, consiste en que no te llegue el dinero, en que andes contando los céntimos y a veces no tengas ni para comer o dormir, pero en este país hay una circunstancia sobreañadida y es la cortedad de la seguridad social. El sistema americano se caracteriza por carecer de un seguro de enfermedad a la europea y eso es lo que probablemente asusta más a los pobres que, en cuanto enferman, gastan lo poco que tienen y se endeudan gravemente. Pero el asunto no acaba aquí. Cuando los economistas del libre mercado presumen de que en estos años ha disminuido el desempleo lo que no dicen es que el 75 por 100 de los nuevos empleos producen salarios inferiores al mínimo. Son asimismo empleos, en su mayoría, manuales, los «Mac jobs», en referencia a las tareas serviles en cadenas de restaurante popular, con poca profesionalidad, y escasas expectativas de futuro. Muchos jóvenes, sobre todo, negros e hispanos, empiezan su vida laboral en esos trabajos, y diez años más tarde siguen en ellos. «Puedes trabajar casi siempre —cuenta un peruano treinta años residente en Chicago— pero no sales de esas ocupaciones de puerta trasera, como las llaman aquí».

Esta característica estructural de la economía norteamericana —mucho empleo subalterno, con poca seguridad y menos perspectivas— se acentuó al producirse en los años setenta una sustancial transferencia de empleos industriales a países más disciplinados y de menor nivel de vida— el mundo del Pacífico asiático— o a esas zonas de control multinacional como las maquiladoras de la frontera mejicana o del Caribe.

El trabajo de los hispanos en Estados Unidos se puede englobar en la tipología diseñada por Alejandro Portes para abarcar a toda la fenomenología migratoria. En primer lugar, los empleos manuales, de poca categoría, que justifican, sin embargo, el viaje al norte o al continente, de tantos mejicanos, de tantos puertorriqueños, de tantos dominicanos. Se trata de una emigración que busca las recompensas de un trabajo que, en el caso de los mejicanos, ofrece casi seis veces más salario que el que obtienen en su patria por la misma faena. La mayoría de ellos no se queda en el país y sus arreglos domiciliarios son variopintos pero marcados todos por la provisionalidad. Su meta es volver a casa para mejorar su situación, aunque un 10 por 100 termina quedándose y entra a formar parte de ese sector pobre de la población americana que sirve de plataforma para que los hijos pueden cambiar de suerte.

Esta mano de obra barata es bienvenida por tantos patronos, sobre todo, agrícolas y de servicios, que ahorran dinero y atenciones con unos empleados más voluntariosos que los nativos. «Y más asustados —comenta una asistente social del Paso— Mucho de estos trabajadores están indocumentados y no se atreven a levantar cabeza, a usar los servicios públicos, por miedo a que la Migra los deporte. Con frecuencia sufren la hostilidad de los obreros nativos, incluso de sus primos chicanos y de los que llegaron antes. Todo ello contribuye a que se sientan mal y estén deseando volverse».

Otro grupo de trabajadores son los profesionales que, o bien directamente, o en una meritoria y penosa ascensión, entran a formar parte del mercado de trabajo más noble. Este cupo es cada vez mayor, porque, contrariamente a las tesis más convencionales, la gente que emigra no es la más pobre sino la más ambiciosa, la más dispuesta, y en el caso de los profesionales, los que no se resignan al nivel de vida y a las expectativas laborales de su país. Más del 25 por 100 de los emigrantes en los últimos diez años son profesionales o tienen título superior. Médicos peruanos, ingenieros venezolanos, dan el salto al norte, empujados por el afán de tener éxito en las zonas más prósperas del imperio, cautivados por las mejores expectativas laborales y los disfrutes más conspicuos. Los profesionales son también más proclives a nacionalizarse, tienden a desenvolverse en el medio social que les corresponde y participan menos de actividades étnicas. Su vida está orientada al éxito laboral, a las satisfacciones de la clase media, y sus hijos se convierten más fácilmente en monolingües anglos.

Un tercer tipo de situación laboral es el autoempleo, generalizado sobre todo entre asiáticos. Algunos autores hablan de que se trata de una mediación entre ricos y pobres. Los comerciantes nativos prefieren que el comercio para pobres lo llevan esos «middlemen». En ocasiones, sin embargo, se trata de un auténtico remedio a la falta de empleo. Si no encuentras trabajo, hay que inventárselo. Los hispanos proveedores de bienes y servicios a la comunidad local tienen un capítulo especial, el enclave, estudiado en particular para el sur de la Florida por economistas como Moncarz y Jorge y sociólogos como A. Portes y Lisandro Pérez. Por las peculiaridades de la primera emigración postrevolucionaria, junto a profesionales y políticos llegaron a Florida bastantes empresarios cubanos. Su habilidad para levantar capital, su capacidad de gestión, les mantuvo en una posición preeminente en el mundo de los negocios, en el que fueron estableciendo, poco a poco, una especie de comunidad laboral, el enclave de Miami, en el que entraban a trabajar otros cubanos, otros hispanos, merced a esa redes de colocación de familia y amistad. La solidaridad en la producción es paralela a la solidaridad en el consumo y hoy en Miami un hispano puede proveerse de todo sin abandonar el comercio español, el idiomas y el contacto con los suyos. Junto a los grandes negociantes, se han ido creando también los pequeños negocios del enclave. La economía del enclave, que tiene sus definiciones y contradefiniciones sociológicas y económicas, es principalmente una circunstancia del sur de la Florida y se parece a los enclaves chinos, coreanos, de otras ciudades, aunque posee una mayor densidad y abarca más actividades. Por ejemplo, de los aproximadamente treinta bancos de propiedad hispana en los Estados Unidos, más de la mitad son de capital cubano y están domiciliados en la Florida.

Hay quien sostiene que el enclave viene a ser una fórmula de explotación del hermano por el hermano, negociando seguridad laboral y protección por salarios bajos. Lo cierto es que el recién emigrado llama a la puerta de sus familiares y amigos y, en general, es mejor acogido que en el más frío mercado de empleo abierto, con la ventaja sobreañadida de poder usar el español, al menos en la primera etapa. A estas redes de protección laboral vienen a parar con frecuencia los miembros de la creciente ola de refugiados políticos, a quienes, por tantas razones, les cuesta trabajo convertirse en emigrantes convencionales. La dura realidad altera sus expectativas. En un principio, al amparo de la ley, son clientes de la seguridad social, viven del «welfare», cuando se les termina sus ahorros. Al comprobar que el exilio va para rato, se deciden a buscar empleo. Si son profesionales, se ponen a la cola del oficio respectivo y con frecuencia entran en ese mundo del autoempleo o del empleo de enclave. Una pequeña colonia nicaraguense empieza a construir su enclave comercial, también en Miami, porque al fin y al cabo, la extracción social se parece mucho a la primera ola del exilio cubano.

El enclave tiene versiones californianas y neoyorquinas, con gentes de América central y de Sudamérica, que se emplean y comercian entre sí, aunque ninguna es de la potencia y la importancia de la cubana de Miami.

El trabajo de los hispanos tiene una sombría connotación, que comparte con el de los negros. Se trata de la alta tasa de desempleo juvenil, ligada al fracaso de la socialización escolar, que forma parte de la discriminación laboral en forma precoz. En los cinco últimos años el desempleo de los menores de veinte años es mayoritariamente de color, con más del 60 por 100, pero inmediatamente después vienen los hispanos (46 por 100 de jóvenes puertorriqueños y 24 por 100 de chicanos). Paradógicamente a ello contribuye la protección familiar, esa cultura latina del sacrificio paterno que, en ocasiones, funciona como un freno a la lucha por la vidda. Pero esta circunstancia, al menos en su componente psicológico, está cambiando. Los jóvenes hispanos se americanizan también en esa faceta de buscar pronto ingresos propios, cada día es más frecuente ver a los hispanos de clase media trabajar en vacaciones y para pagarse sus estudios, como los anglos, y hay que reconocer que, si no encuentran trabajo, es más por razón de discriminación y falta de preparación que por mala voluntad.

Como contrapartida a esa imagen negativa, la década de los ochenta ofrece un muestrario de hispanos ganadores, con éxito en las profesiones y los negocios. Un reciente serial del Miami Herald (febrero 1988) presenta el perfil de la elite de la ciudad y encuentra en ella, bien representados, a los empresarios cubanos que se han apoderado, por ejemplo, de la poderosa asociación de constructores. Es verdad que dos tercios de los negocios propiedad de hispanos son pequeños y familiares, y que tendrían que crecer casi un 300 por 100 para representar adecuadamente el porcentaje de población correspondiente, pero hasta ahora el acceso al capital no era tan fácil como el de los anglos. Sonoros nombres hispanos están, no obstante, en las cabeceras de los consejos de administración y en las profesiones de éxito.

No pasa un número del semanario «Vista» sin que, en sus páginas, se dé cuenta de la llegada de un hispano, por vez primera, a tal cargo, a tal nivel y la fiesta es aún más sonora cuando se trata de una mujer. La celebración del éxito hispano ha dado lugar incluso al nacimiento de una institución, paralela a otra americana, el Hispanic Hall of Fame, en el que cuidadosamente se exhibe los nombres de los compatriotas «que han llegado», que han inscrito su nombre en la escalera de la ascensión económica y social americana. Los Roberto Goizueta y Frank Lorenzo, del mundo de los negocios, acompañan a los políticos y a los artistas en ese Hall of Fame étnico, en el que se miran las jóvenes promociones. Se trata, por otra parte, de subrayar la naturaleza esencialmente competitiva del éxito en América por lo que, en ocasiones, algunos nombres vienen inevitablemente subrayados con los codazos y los malos modos del «rat race» americano.

Especial interés ofrece la llegada de los hispanos a puestos de responsabilidad legal, como jueces y fiscales. Por eso fue especialmente celebrado el nombramiento de la primera jueza cubana de Miami, en 1987, en la persona de Margarita Esquiroz, que había llegado de la isla tan recientemente como 1968.

El mundo académico empieza a estar también lleno de nombres hispanos, incluso en los puestos de mando. Al Presidente Maidique, cubano, de Florida International University, se ha unido, en 1987, el nombre de Juliet García, la primera hispana presidente de un college tejano.

Los hispanos han mostrado su valor en las guerras del imperio, hasta tal punto que un tejano, Roy Benavides, fue la última medalla de honor al heroismo en Vietnam. La peculiar tipología y configuración de las fuerzas armadas americanas contribuye a que la tropa proceda de las clases inferiores del imperio. Por eso crece desmesuradamente la «morenización» del ejército de tierra, con negros e hispanos, en los lugares más peligrosos, donde más se muere. El porcentaje de hispanos está creciendo, sobre todo en los marines, profesión para la que no hace falta ser ciudadano americano, basta la residencia.

«Lobbies» hispanos juegan fuerte en el mundo laboral y ya existe una sección del Afl-CIO, el Labor Council for Latin American Advancement paralela a las Cámaras de Comercio Hispanas para empresarios.

Otro tipo de organizaciones tratan de sensibilizar al mundo de los negocios anglos acerca de la vitalidad y necesidades de la población hispana. El National Hispanic Corporate Council y el Hispanic Association on Corporate Responsability, son ejemplos de ello.

La historia y la sociología del trabajo y el empleo, la iniciativa y la laboriosidad de los hispanos en América contiene, pues, luces y sombras y, en la estrategia de líderes, asesores, y padres de familia, están profundamente ligadas a otro tema, también típicamente inserto en la versión más noble del sueño americano, como es la educación.

## 6. Educación

La educación es uno de los valores más importantes de la cultura americana. En un doble sentido. Como sociedad joven y emprendedora, los Estados Unidos han tendido a valorar más el esfuerzo individual que el peso de la familia y la herencia en el éxito o fracaso. Ese esfuerzo empieza ya en la escuela y la ideología dominante subraya la importancia de competir desde pequeño, de tener buenas calificaciones, porque con la educación, según el mito imperante, uno es capaz de cambiar su determinación social de origen. Las historias de éxito, esos perfiles triunfadores que tanto gustan a los americanos, tienen ya un primer capítulo, la dedicación ejemplar al estudio en la niñez del triunfador. Es, en cierto sentido, una sustitución del trabajo duro, del sacrificio de las antiguas biografías, como consecuencia de la transformación de la economía norteamericana.

Un segundo factor es el carácter legitimador de la escuela respecto a los emigrantes. El siglo XIX es testigo de ese gran esfuerzo nacional para establecer la escuela pública como melting pot, como crisol donde se funde a los recién llegados en el baño purificador del idioma del nuevo mundo y la cartilla del buen ciudadano. Precisamente para mantener la etnicidad, los emigrantes alemanes, y luego los irlandeses, establecieron el sistema paralelo de escuelas parroquiales, con el propósito de mantener la religión y la cultura originales.

La relación entre el sector público y el privado de la educación americana es distinta a la europea. En Europa el Estado ha construido un sistema público de educación, sobre todo para hacer llegar a las masas los beneficios de una socialización que afectaba sólo a las elites. En América se trata, sobre todo, de una afirmación ideológica, de un esfuerzo privado, muy americano, por otra parte, de los luteranos, de los católicos, de los judíos para preservar la fe y las costumbres propias en un mundo secularizado. De ahí la afirmación constitucional de que el sistema escolar privado no debe tener financiación pública porque se trata básicamente de una indoctrinación religiosa, de algo que funciona en beneficio de los promotores. Con el tiempo, lo privado, sobre todo en la enseñanza superior, va a adquirir una connotación clasista, de institución de elites, de refugio para los anglos, algo que se acentuará, ya en todos los escalones del sistema, cuando la educación pública se convierte, en los núcleos urbanos, en recintos preferentemente utilizados por pobres, por morenos.

Los hispanos están muy preocupados por la educación de sus hijos. Muchos de ellos creen firmemente en el mito americano de la educación compensatoria y por eso participan en la política local, a todos los niveles, con mayor intensidad, si cabe, que en los otros temas. Muchos se duelen de que sus hijos han llegado al sistema público justo cuando las conquistas de los años sesenta, al facilitar el acceso de las minorías a la escuela pública, han devaluado la calidad de ésta en comparación con las privadas que han ido surgiendo, en zonas de suburbio, sobre todo, para anglos y ricos.

La preocupación de los hispanos es ya compartida por toda la sociedad desde diferentes perspectivas y el asunto enciende la polémica pública y las discusiones privadas, produciendo cientos de informes de expertos. «La educación americana —se afirma— está perdiendo calidad. Los jóvenes llegan a la enseñanza secundaria y aun a la Universidad sin saber leer ni escribir. Con la televisión, esta sociedad se ha transformado en una civilización de imágenes y de música».

Es la nostalgia de los académicos anglos, que forman el apéndice intelectual de ese Establishment wasp que ha dominado los corredores del poder hasta ahora. En su acritud se descubre un acento elitista.

La respuesta progresista es también conocida. «La escuela no es tan importante para el éxito en la vida, lo que cuentan son las conexiones familiares, la posición social, la astucia. Los pobres lo descubren enseguida, y por ello, dan menos importancia a la escuela. ¡Tantos negros, tantos hispanos, con buenas calificaciones, ven como se elige a blancos, con peores, en el mercado de trabajo! El curriculum premia las actitudes competitivas, el egoismo, no hay en él sitio para la solidaridad, es el 'rat race' desde pequeñitos».

Estructuralmente, el sistema educativo, sobre todo en enseñanza primaria urbana, no ha sido objeto de las fuertes inversiones necesarias para acomodar a las nuevas clientelas y, después del desafortunado y combatido proyecto del «busing», la escuela es un instrumento más de selección social, con la huida creciente de los anglos a escuelas privadas.

El aburrimiento, el rechazo a una escolaridad tantas veces irrelevante, es general en el mundo, pero se acentúa en Estados Unidos, especialmente en el segundo nivel. La deserción es tal que más del 20 por 100 de los estudiantes se descuelgan de la enseñanza formal antes de terminar la educación secundaria y lo hacen principalmente los menos pudientes. El coeficiente es aún más alto para los hispanos, alrededor de un 45 por 100 y desolador para los negros, casi el 60 por 100, que en Nueva York llega al 75 por 100.

El mercado de trabajo utiliza las credenciales escolares como mecanismo de selectividad y, por ello, las desigualdades educativas se traducen en desigualdades laborales. Esto ha sido siempre así en las profesiones en las que una combinación de factores familiares, económicos, sociales, favorecían el que los médicos, ingenieros, empresarios, banqueros, arquitectos americanos, sean, aún hoy, en su gran mayoría, varones anglos. Las reivindicaciones feministas y étnicas van aminorando esta situación. Fuera de las profesiones superiores, el escenario es aún más duro. La economía americana premia, a la vez, la competitividad laboral, es decir, la ausencia de solidaridad obrera y la automatización y ello produce unos mecanismos de discriminación que no tienen en cuenta suficientemente el mérito escolástico. Las noticias que llegan a las aulas del mundo del trabajo, con sus alianzas, su progresiva automatización, sus métodos de patronazgo obrero, no producen mucho entusiasmo en los jóvenes, de modo que uno de los retos de la comunidad académica es convencer a los jóvenes y en especial a los jóvenes hispanos, de la importancia intrinseca de la educación formal.

Poco a poco, los hispanos aprenden las reglas del juego y a valorar la competitividad escolar. Instituciones como la Hispanic Drop out Force, el National Hispanic Institute de Maxwell, Texas, se han organizado para motivar a maestros, estudiantes y familias para combatir la deserción y hacer que, en este terreno, los hispanos disminuyan la enorme diferencia que tienen respecto a esa otra minoría, la asiática, cuyo éxito escolar, superior incluso a la media anglo, es apabullante. Quizá esto tenga que ver con las diferentes estructuras familiares. Parece que la familia asiática es más estricta con sus hijos que la hispana y que el mundo rural, origen de un alto porcentaje de esta emigración, está más de espaldas a la instrucción formal. Una acción específica, el Hispanic Literacy Program, trata de remediar un triste estado de cosas consistente en que siete millones de hispanos de 16 y más años son funcionalmente analfabetos.

Docenas de especialistas, promovidos por líderes cívicos, se han organizado para promover en los hogares puertorriqueños, chicanos, dominicanos, ese estereotipo, tan anglo y hoy tan asiático, de la familia exigente ante los deberes escolares del hijo. Es una aculturación más de la dureza de la vida americana.

## 7. Lenguaje

A mediados de los años sesenta, los movimientos pro derechos civiles y las reivindicaciones de las minorías hicieron llegar al escenario político con particular intensidad la problemática de la educación bilingüe. La presión del Suroeste, con los méxico-americanos peleando contra la discriminación escolar, se convirtió en discusión legislativa y, en 1968 se aprobó la ley de educación bilingüe por la que el Estado financiaría programas para ayudar a los niños de familias de bajos ingresos a mejorar su inglés. Desde el principio el animo del legislador era ese, favorecer la transición al inglés de los que no saben bien el idioma, en el bien entendido de que eso beneficiaría su rendimiento escolar. Sin embargo, en 1974, el Tribunal Supremo atendió la petición de una familia china que se quejaba del escaso rendimiento de sus hijos en el sistema público escolar californiano. Para ejecutar una sentencia, que en el fondo tenía que ver con igualdad, la Oficina de Educación bilingüe empezó a diseñar y a recomendar programas de transición, dando entrada a nuevas preocupaciones metodológicas. Algunos teóricos, y algunos líderes hispanos, entendieron que eso era una autorización para el bilingüismo en sentido amplio y de ahí, a reivindicar el derecho a la instrucción en español, a la utilización de la ayuda federal para la afirmación cultural propio, sólo había un paso. Y así, lo que empezó siendo un remedio para el fracaso escolar, una especie de educación compensatoria, se convirtió en una reivindicación étnica.

El asunto pasó del plano pedagógico al político y, desde entonces, no han cesado las discusiones. La intensidad de la presencia hispana en Nueva York, en Miami, en Los Angeles, ha ido calentando los recelos anglos hasta que, en noviembre de 1986 se aprobó, por mayoría aplastante, una enmienda a la constitución de California, que declara al inglés lengua oficial, como ya habían decidido antes otros catorce estados. La polémica correspondiente ha sobrepasado los recintos escolares, derramándose por calles y plazas y asustando a no pocos hispanos con el espectro de una nueva discriminación. Se temen que los servicios públicos, de sanidad, de emigración, no atiendan a los que no hablen inglés y se esperan nuevas prepotencias policiacas. «No nos engañemos —declaran a 'Vista' Rosa Castro Feinberg y Paul Cejas— el asunto aquí es el dominio político de un grupo sobre otro».

«Todo lo contrario. La comunicación en un solo idioma reduce la hostilidad racial» —arguye el senador Hayakawa, fundador del movimiento US English, a favor de una enmienda constitucional a nivel nacional.

La problemática del lenguaje ha tenido la virtud de solidarizar a los grupos que hasta entonces se veían a sí mismos sólo como cubanos o puertorriqueños o dominicanos, y a utilizar la nueva etiqueta de hispanos, una de cuyas definiciones es la lingüística. Pero, en el mejor de los casos, es una reivindicación que, como tantas otras, se calienta y se expande, sobre todo como reacción a la intransigencia.

«Sería una locura —comenta una pedagoga cubana— negar a nuestros hijos los beneficios del inglés que es, no sólo el idioma de la promoción y el ascenso en América, sino también el del comercio internacional y las nuevas tecnologías. El hablar solamente español surge, tantas veces, como un refugio contra la suficiencia, el desprecio anglo.»

«La historia escolar de tantos americanos de origen hispano está llena de animosidades y marginaciones, practicadas tanto por los maestros como por los propios compañeros blancos, que se reían de nuestras dificultades. Las reacción nuestra, tantas veces —explica un antropólogo chicano— era volvernos a los nuestros, a los de nuestra raza, al recinto familiar, al barrio y componer en español un contrargumento, fabricado con la misma hostilidad, el mismo sentido ofensivo.»

Las cosas están cambiando. Muchos anglos, saliendo de su monolingüismo provinciano, fruto del éxito imperial y la pereza congénita, están empezando a entender las ventajas del bilingüismo, de la apertura a otras formas de expresión oral y escrita. Los grandes autores en español se empiezan a leer, no ya traducidos, sino en el idioma original, y la comunicación se abre, enriqueciéndose.

No es que los americanos hayan estado, siempre y colectivamente, de espaldas a los otros idiomas. A la burguesía de la costa este le agradaba utilizar el francés de la etiqueta y los protocolos sociales para eludir la zafiedad y marcar exclusivismos, mientras que pioneros y empresarios, en el sur, y allende los mares, utilizaban la herramienta idiomática para acceder a mercados y aventuras. El problema es la confrontación doméstica y ningún especialista se atreve a entenderla sólo en términos lingüísticos. Todas las paradojas y las contradicciones del imperio, sus fronteras, su dominio eminente continental, su mercado de trabajo, marcan la problemática del lenguaje.

En lo que parece haber concordia, consenso, es en lo referente a la escolaridad, a la socialización infantil. Los hispanos no desean un gueto lingüístico, quieren para sus hijos la funcionalidad del inglés, aunque no esconden su esperanza de que no se pierda el español. «Es un plus que nos gustaría mantuvieran nuestros hijos —comenta un maestro puertorriqueño— pero siempre que lo mantengan bien.»

Este es el problema. Los alumnos hispanos son más propicios aun que sus compañeros a descuidar la calidad de su lenguaje hablado y escrito. Esta civilización icónica está más simbolizada por imágenes y sonidos que por florituras verbales y redacciones primorosas. El teléfono ha sustituido a las correspondencia —ni los novios se escriben cartas— y los formularios administrativos y los «memos» comerciales apenas proporcionan oportunidades para una utilización abundante de los recursos lingüísticos.

«La precisión, la riqueza, van quedando para ciertas actividades de elite, la política, la abogacía, el culto, el periodismo —comenta un editorialista de Alburquerque—. La mayoría de la gente, especialmente los jóvenes, se entienden con pocas palabras.»

La lucha del magisterio contra esa inercia, contra la devaluación del uso correcto del idioma, no se favorece precisamente por los bilingüismos superficiales, por los spanglish. Muchos hispanos llegan a la madurez sin saber bien ni castellano ni inglés. En este escenario catastrofista se apoyan los puristas de una y otra persuasión y algunos pedagogos han tirado la toalla y prefieren que sus pupilos aprendan bien por los menos un idioma. Si éste es el dominante, por razones prácticas, qué le vamos a hacer.

La discusión metodológica acerca de la viabilidad del bilingüismo no está cerrada. Hay quienes creen que es mejor dominar un lenguaje antes de pasar a otro. Por el contrario, algunos expertos sostienen que el bilingüismo simultáneo, —lo que sucede a tantos hispanos— es la mejor receta. A ambos lados del argumento hay lingüistas, pedagogos, líderes cívicos. En una situación ideal, con una coordinación intencional de los actores, no parece habría dificultades para un enriquecimiento progresivo de dos, o incluso más lenguas, en la misma persona. Al fin y al cabo, se trata de habilidades que pueden aprenderse simultáneamente, como otras disciplinas de la memoria y el raciocinio. Pero las circunstancias casi nunca son favorables. No siempre la familia cumple su misión estimulante. La clase social influye mucho, como también la televisión y, sobre todo, los amigos, los compañeros. Niños y jóvenes, rodeados de atenciones magisteriales y familiares, con toda clase de estímulos, eligen, sin embargo, la jerga de la pandilla, por razones de solidaridad, de imitación, o simplemente de pereza.

El bilingüismo cultural y educativo ha significado mucho en la concientización política de los hispanos, proporcionando una temática en la que todos están interesados, aunque no todos compartan las mismas opiniones.

# 8. Política

La participación de los hispanos en política está enredada en esos vericuetos tortuosos, y tantas veces frustrantes, de las «res pública» americana. La combinación de democracia política y capitalismo económico en que consiste ésta ha roto muchos esquemas teóricos y enfriado cientos de esperanzas pragmáticas. A cada generación le enseñan en la escuela que la tierra de las oportunidades es también la de las mayores libertades. A medida que se hace mayor, la experiencia le hace descubrir que este país paga precios muy altos, en consenso ciudadano, en esperanzas de justicia rotas, por respetar la supremacia del interés económico. Poderoso caballero es don dinero, tanto que un Presidente salido del pueblo, queriendo subrayar la siempre discutida independencia del poder político, colocó sobre su despacho aquel memento: «The buck stops here», algo que muy poca gente se cree y que cada elección presidencial, con sus crecientes costos publicitarios, contradice.

Desde su primera asamblea constituyente, los Estados Unidos han diseñado una oligarquía de hacendados y caballeros que sigue fiel a sus orígenes en estos tiempos de las multinacionales y la electrónica espacial. Con el paso del tiempo se fueron desclavando los obstáculos para el ejercicio del voto. Desde el sufragismo feminista hasta la abolición de la discriminación contra los negros, la propaganda de los poderosos trata de inculcar en el pueblo los principios de la legitimación política pero los pobres, una y otra vez, rehusan el envite.

En los guetos urbanos, en la geografía de la pobreza americana, y también en las cocinas de la clase media, se sabe muy bien que los pactos de poder sobrepasan los resultados electorales. Por eso los líderes de la América pobre, que son mayoritariamente partidarios de trabajar dentro del sistema, pasan tantos apuros para convencer a sus clientelas de que se registren para votar, para elegir a los que, poco a poco, por la vía de la reforma, le llevan la contraria al «Establishment».

Jesse Jackson, el primer candidato presidencial negro con imagen nacional, ha propuesto una coalición electoral, el arco iris, donde estén representados todos los colores de la América reivindicatoria y ha invitado a los hispanos a unirse a ella. No faltan tampoco los que pretenden solidificar el voto hispano en torno a uno de los partidos tradicionales, generalmente el demócrata. Pero el hispano está tan desconcertado y desunido como las demás minorías, que van presenciando cómo el factor de clase rompe solidaridades originarias. «No hay clase media más americana y tradicional que la negra y ahí es donde recogen sus votos de color los republicanos» comentaba recientemente el asesor de un candidato demócrata de Alabama.

La política americana es, por otra parte, muy localista, y los intereses concretos de regiones, de ciudades, y también de empresas y sectores productivos específicos, juegan un papel importante en el proceso electoral. Los puertorriqueños han estado, y aún están, atrapados en la ambivalencia de su «status» político. Sus votos isleños no les dan representación nacional y muchos residentes del Continente no terminan de creerse que valga la pena registrarse, unos por considerar que su país verdadero es la isla y otros, por esa inercia contra la participación política de los menos pudientes. Los puertorriqueños, que son la segunda fuerza hispánica en los Estados Unidos no están de igual manera representados electoralmente. Sólo el 12 por 100 (unos nove-

mil hispanos) está registrado entre los cerca de siete millones de votantes de Nueva York y de ellos ni siquiera un tercio son puertorriqueños. Tal es la situación que los políticos de la isla, necesitados de aliados en el continente, están patrocinando campañas en Nueva York, en Chicago, para que los puertorriqueños residentes se registren y voten en las elecciones. Un departamento de la División de Emigración de Puerto Rico hace propaganda habitual al efecto, como la hacen el Puerto Rican Fórum y Aspira.

El flujo poblacional entre la isla y el continente —dos millones de viajeros al año— y la nacionalidad norteamericana de los isleños, aparte de desdibujar el escenario electoral, lo complica. Desde los años sesenta es frecuente que los candidatos a gobernador de Puerto Rico hagan campaña en Nueva York y otras grandes ciudades, para pedir el voto a los residentes isleños o a sus familias que estén en el continente en esas fechas. Los puertorriqueños se muestran orgullosos de que uno de los suyos, Herman Badillo, fuera el primer congresista hispano, representando a Nueva York, en 1971, aunque fuera un mejicano de nacimiento, Octavio Larrazola, el primero que llegó a senador, en 1920, después de naturalizarse.

El Sudoeste, con su población hispana primordialmente mejicoamericana tiene también sus peculiaridades políticas. Los trabajadores temporales, por supuesto, no se sienten americanos, pero eso les ocurre también a bastantes residentes. El movimiento One-Stop Inmigration, con base en Los Angeles, trata de convencer a los hispanos de que se naturalicen, para que esa legitimidad sea la plataforma legal de sus reivindicaciones. Más de tres millones son potencialmente capaces de ello y podrían naturalizarse si emprendieran el proceso burocrático correspondiente, pero muchos prefieren seguir con su ciudadanía mejicana y están, por consiguiente, ausentes de los procesos electorales.

La gran excepción son naturalmente los cubanos que, en la medida en que iban aceptando la imposibilidad de regresar a la isla, se convertían en americanos, se naturalizaban, a tenor de la cultura política de la clase media y alta, dominante en la primera migración. Los cubanos de la Florida se han adueñado incluso de la maquinaria electoral republicana y han convencido a los suyos, y a tantos de otros hispanos, de que votar al partido republicano significa también un voto contra Fidel Castro. Sin embargo, el exilio se va convirtiendo en etnia y los cubanos nacidos en la Florida, o llegados de pequeños, no son como sus padres. La obsesión patriótica se va convirtiendo en ambición económica, aunque, con frecuencia, las personas y los grupos de mayor éxito profesional y comercial son también los más cercanos a esa operación política global que sueña con un Miami propulsor de un nuevo diseño de América latina y el Caribe. En este diseño se enhebran libertades económicas con democracias políticas y sus patrocinadores se prometen no caer en los viejos esquemas de las repúblicas bananeras. La conciencia del fracaso rotundo de la vieja política americana en América latina es sentida particularmente en esta zona. Aquí viven los afectados por las tragedias de las dictaduras, las revoluciones, las contrarrevoluciones del flanco sur del imperio. Por eso, aquí casi todo tiene una lectura política. Los mismos anglos, que suelen favorecer una contienda electoral basada en temas domésticos, en la economía, al llegar a la Florida, tienen que incorporar a las discusiones de su campaña, a las contiendas entre candidatos, los temas de política exterior. Miami es hoy el centro neurálgico de las tensiones sureñas del imperio y la política nacional se hace aquí internacional, al tiempo que lo hispano se convierte en indispensable a la hora de establecer prioridades y opciones.

En 1984, el caucus hispánico del Congreso, los legisladores de origen hispano, hicieron un viaje a México y Centro América, de cuyas resultas apoyaron la idea de crear una zona de libre comercio en la frontera. Algunos líderes latinoamericanos se felicitaban de hablar en español, por primera vez, con los representantes del imperio.

La postura de apoyo a las libertades latinoamericanas no puede ser más expresiva que cuando políticos americanos como Tony Anaya, gobernador de Nuevo México, cooperó con el apoyo a esa red de santurarios eclesiásticos que apoyan a los fugados de las dictaduras de derecha, para compensar el mejor trato que la administración republicana da a los exiliados de las de izquierda.

Un factor importante de la influencia política hispana es que la mayor densidad de esta población se condensa en los Estados con mayores posibilidades de decidir la contienda presidencial: California, Nueva York, Texas, Florida, Illinois, son las zonas donde más crece la presencia hispana y en las que sus líderes concretan las campañas a favor de registrarse para votar. En los corrillos del «Spanish Caucus», en las reuniones de la National Hispanic Leadership Conference, en tantos encuentros informales de políticos, se sueña conque el voto hispano decida la elección y se asegure un buen trato político, en la vieja tradición del compromiso americano.

La participación política hispana crece más en los ámbitos locales quizá porque en la América del éxito económico ha decrecido el interés anglo por la cosa política. Muchos cargos carecen de candidatos y la reelección es frecuente. En septiembre de 1988 había 3.360 políticos hispanos electos, con un incremento del 3,5 por 100 sobre el año anterior, y una reafirmación de las candidaturas femeninas en un 18,6 por 100. La proporción era de doce alcaldes de ciudades mayores de 25.000 habitantes, sobre todo en Texas. Ciento veinte legisladores estatales, un gobernador, el de Florida y, coronando la estadística, los once miembros hispanos del Congreso. Si se trata de políticos y administradores no electos sino nombrados según las leyes respectivas, la Asociación Nacional de funcionarios públicos hispanos (NALEO) presenta un perfil aún mayor, con representantes en 31 Estados, desde los 1.466 de Texas a los 177 de Colorado y 26 de Illinois. Hay hispanos en todos los rangos de la administración civil, judicial y hasta militar, con generales y hasta tres almirantes de la «Navy» americana.

«De todas maneras, queda mucho por hacer —comenta un funcionario puertorriqueño experto en los trueques electorales de la costa este—. Si nosotros queremos mejor tratado educativo, sanitario, laboral, si nuestra esperanza para las siguientes generaciones es que ellos lleguen más lejos, aquí esto sólo se puede hacer participando en los procesos políticos a todos los niveles.

El toma y daca de la política americana, el «lets make a deal», extraña a tantos latinos educados en la tradición caudillista y carismática. En los Estados Unidos, aunque la televisión ha dado un nuevo giro a las relaciones públicas, favoreciendo las estrategias de imagen, los pactos siguen siendo de interés.

Intermediarios políticos prometen el voto hispano a cambio de cosas tangibles y la coalición hispana a nivel local ha conseguido bastantes cosas concretas a base de apoyar a un alcalde, a un fiscal, a un juez.

Un esfuerzo propio de los activistas hispanos es el de modificar la geografía electoral. Los distritos han sido diseñados a veces para impedir o romper el voto étnico. Recientes reclamaciones en Los Angeles, en San Francisco, han conseguido éxito judicial, elevando el número de políticos hispanos electos a nivel local.

Sin embargo, sería erróneo apoyarse solamente en el proceso político. Pedro Ruiz Garza, director del Policy Research Group, el primer centro de investigaciones sociales dedicado exclusivamente a temas hispanos, insiste en la autogestión y en la competitividad en campos como el educativo y, por supuesto, el mercantil.

La acción política se continúa en acción cívica y de eso saben ya mucho los hispanoamericanos. El crecimiento de las asociaciones voluntarias y de interés en el mundo hispano es uno de los índices más claros de su americanización. Cada causa, cada grupo, cada interés, tiene su expresión asociativa, en una sociedad que cree en la negociación, en la cooperación, que sabe aunar fuerzas para cualquier objetivo, desde los más inmediatos y más específicos a los globales y de largo plazo. Hay ya asociaciones hispanas para casi todo y a todos los niveles. Ya he mencionado las más mercantiles y políticas, La National Coalition for Hispanic Health and Human Services estudia y propone cuestiones relacionadas con la salud y la beneficencia. La National Network of Hispanic Women es una plataforma feminista. La Hispanic Drop Out Task Force trata de reducir las cifras de deserción escolar. El Hispanic Hall of Fame procura identificar líderes y figuras hispanas que sirven de ejemplo y estímulo a sus conciudadanos, algo que también preocupa y motiva al National Puerto Rican Coalition y a National Image.

Con dimensiones más concretas, el Institute for Puerto Rican Policy y el National Congress for Puerto Rican Rights tienen metas de promoción política y social, al igual que el Cuban National Planning Council.

Junto a las sociedades de acción, las de reflexión. A las más antiguas, como La Raza, Lulac y el American G. I. Forum, se están uniendo nuevas instituciones de investigación hispana como el Policy Research Group y el Tomas Rivera Center.

Un sin fin de etiquetas y acrónimos dan fe de la fuerza de la unión hispana, que políticos y empresarios anglos están empezando a considerar como el socio ideal en operaciones de expansión y consolidación de clientelas. Y es que los interesados no se cansan de propagar la noción de que la minoría hispana es la que crece más deprisa y la que, en el año dos mil, sera la más numerosa.

## 9. Integración institucional

La sociedad moderna es una red capilar de instituciones públicas y privadas con las que los individuos tenemos relaciones permanentes o transitorias. Y aunque la tradición americana presume de que su entramado institucional es, y deberá seguir siendo, lo más débil posible, y de que los americanos disfrutan de más grados de autonomía individual que sus superorganizados primos europeos, lo cierto es que desde la inspección fiscal, el temido Internal Revenue Service, al sistema policiaco, desde las instituciones crediticias a los tribunales, desde la seguridad social a las corporaciones, las instituciones representan una parte importante de la vida americana y, en su versión pública, es también la manera más común de estar protegido, de ser reconocido. Es la otra cara de la subordinación individual a un sistema que, a la vez que te induce al trabajo y al consumo, te ampara y te defiende.

Los hispanos tienen cada vez más participación en el entramado institucional americano y por su peculiar situación, están particularmente cerca de dos instituciones, la oficina de emigración, la temida «Migra» y las instituciones de beneficencia.

Desde la puesta en vigor de la nueva ley de emigración, los hispanos han vuelto a sus viejos temores. «Es como una pesadilla —cuenta un camarero chicano del Paso—. La Policía, según los humores del sheriff de turno, te pide los papeles por la calle en cuanto eres un poco moreno. Y si no los tienes en ese momento, nadie te quita tres o cuatro horas de detención y de humillación, en una comisaría donde te tratan con indiferencia, en el mejor de los casos.»

La nueva ley tiene dos grandes apartados: uno, la aceptación de los indocumentados históricos, es decir, el otorgamiento de una amnistía para quienes, estando ya en los Estados Unidos, puedan probar haber trabajado en los últimos años. El otro es la consolidación del programa de trabajo temporal, la tradicional fórmula del bracero, para seguir utilizando la tradicional mano de obra sureña, cuando convenga a la economía norteña.

En ambos casos, la ley permite una gran discrecionalidad de la Administración, tanto para interpretar la amnistía como para decidir cuando y quien puede importar mano de obra temporal. Pero la novedad es que, de ahora en adelante, el sector privado, el empresario, tiene que colaborar forzosamente en la operación gubernamental, ya que, por una parte, él es quien certifica las condiciones laborales del indocumentado histórico y quien, por otra, es castigado con multa si contrata a los que no están autorizados, por ley, a trabajar en el país.

La decisión legislativa acumula aún más poder en las manos de estos patrones, que podrán ejercer sobre sus trabajadores el chantaje adicional de la denuncia a la no protección. «Muchos compañeros —continúa el camarero— tienen miedo de que, por propio interés, los patrones se vean inclinados a practicar la discriminación por el color de la piel, para estar más seguros.»

Pero, mientras el mercado laboral siga como está y México continúe en su postración económica, los indocumentados seguirán trabajando, aunque asuman más riesgo. «Lo que han conseguido con esto —concluye nuestro amigo— es aumentar el precio de los documentos falsos, de los poyeros, de todo el negocio montado en torno a la emigración ilegal.»

Paradójicamente, la promulgación de la Ley Simpson Mazzoli coincide con la tendencia a reducir el presupuesto fiscal americano. Ello quiere decir que la inversión en personas y medios para ponerla en práctica no va a ser, no está siendo, proporcional, de modo que, unas veces por la astucia de unos, otras por la corrupción o complacencia de los otros, y las más, por pura impotencia, la Policía migratoria, la patrulla de fronteras, es incapaz de asumir todas sus responsabilidades y practica una política selectiva de sorpresa y azar.

Esta sensación de inseguridad forma parte, pues, de la vida cotidiana de los hispanos, sobre todo en las zonas fronterizas. Siempre estuvieron al albur de la discrecionalidad policial, que actuaba generalmente con un ojo en la ley y otro en las necesidades de mano de obra pero, en algunos casos, y a tenor de las circunstancias de la política local, se vuelven a sentir los terrores de los años cincuenta. Como es sabido, de 1951 a 1954 se llevó a cabo una gran operación de deportación de mejicanos, casi tres millones. La operación se hizo sin contemplaciones y también con pocas precauciones, de modo que muchos mejicoamericanos de nacionalidad fueron obligados a cruzar la frontera y esforzarse en probar sus legítimos derechos antes de volver a casa.

Las peculiares circunstancias de la frontera han motivado el que políticos y líderes cívicos propongan la creación de una zona de libre tránsito a la circulación de personas y mercancías, una especie de Hong-Kong, en el suroeste de los Estados Unidos. Sería una fórmula de desdramatizar las tensiones personales y de reconocer de derecho lo que es una situación de hecho. El comercio fronterizo, la maquiladora industrial, el trabajo a un lado u otro de la línea, son realidades que desafían los perfiles lineales de la soberanía territorial. Mantener ésta, en sus términos convencionales, significa el establecimiento de un Estado policiaco que contradice la mejor tradición americana y amarga la vida a cuantos hispanos tienen por sino personal el pertenecer al flanco sur del imperio. La praxis económica y laboral reconoce esas leyes inderogables de la necesidad y de la conveniencia y, para muchos expertos, resulta artificioso a la par que inútil, cargar las tintas policiales en la materia,

Pero los miedos y las racionalidades estrictas llevan a Washington un mensaje cauteloso y pacato, que regresa, convertido en forma de ley, cargada potencialmente de prepotencia, a las calles y caminos de la frontera. La recesión económica, la volatilidad del mercado de trabajo, convierten incluso a algunas asociaciones hispanas en defensoras de la restricción de movimientos. Y el viaje al norte de los expulsados del sur se hace más amargo, convirtiendo de paso a sus predecesores en americanos sospechosos.

«Tal y como están las cosas, hay pocos remedios a mano —comenta un político chicano—. Nuestras gentes se han acostumbrado a vivir con miedo, ese miedo a la autoridad que está debajo de la aparente normalidad americana. Aquí todos tenemos miedo. Al banco acreedor, al inspector de Hacienda, incluso al policía de tránsito. Pero hay un miedo propio, que aprenden nuestros hijos desde pequeños, como aprendieron los negros aquel otro sino de su raza, y es que, a veces, de un golpe, a la vuelta de una esquina, te conviertes en extranjero en tierra propia.»

La contrapartida benévola a la «Migra», según algunos, es el «welfare». Las últimas oleadas de hispanos, las posteriores a los años sesenta, se han encontrado con una América más compasiva, que ha diseñado una red de protección para los desheredados de la fortuna. Los hispanos, que vienen de países escasamente organizados, y mucho menos en la beneficencia, participan de esa asistencia y hasta —dicen algunos— se han convertido en clientes privilegiados de ella. Pero no es oro todo lo que reluce. Es verdad que la desintegración familiar, fruto de la emigración o de la pobreza, tienen en los Estados Unidos, esos lenitivos que se laman ayuda a la madre soltera o «food stamps». Y que la falta de trabajo, cuando puede certificarse, da origen a una compensación temporal, para ir tirando entre empleo y empleo. Pero Estados Unidos no es Europa.

Además, los hispanos poseen características peculiares que no siempre hacen accesible las ayudas. En primer lugar, una buena parte de los más necesitados carecen de las condiciones más elementales para solicitar ayuda. Los indocumentados, por ejemplo, procuran no sacar la cabeza del suelo para no toparse con la Migra. Estos, y otros muchos, trabajan en faenas y empleos pertenecientes a la economía informal o sumergida, una de cuyas características es precisamente la ausencia de formalización del contrato laboral.

Por otra parte, la burocracia de la beneficencia, como todas, es bastante celosa a la hora de solicitar y comprobar circunstancias biográficas, papeles y otros requerimientos de la ayuda, ante cuyos planteamientos muchos hispanos, sobre todo los más pobres, ignorantes y monolingües, desfallecen.

Una crítica más generalizada a la seguridad social, difundida incluso entre los conservadores, es que su estructura y funcionamiento favorecen más al trabajador convencional, y aún a la clase media, que a los verdaderamente pobres, a los últimos escalones de la necesidad americana, y en esos se encuentran la gran mayoría de los hispanos.

«Se nota mucho la diferencia entre Nueva York y la isla— confiesa un puertorriqueño experto en ayudas—. En Puerto Rico se hacen las cosas con más sentido común y menos papeleo y se ayuda a más gente, sin que se aprovechen tantos como aquí.»

El listo, el que conoce los intringulis del sistema y los remonta, suele ser más bien un anglo experimentado, que tiene incluso una cierta familiaridad con las legalidades de la beneficencia y las explota en su beneficio.

En torno a este asunto, se han planteado ciento de disquisiciones sobre la propensión étnica a vivir de los demás y la pillería administrativa. Un estereotipo anglo, ya en cierta decadencia, es que los negros, los morenos, criados en la tradición de la hacienda, son, además de perezosos, gentes inclinadas a aprovecharse del amo, apenas éste deja de vigilar, y que esta actitud se ha trasladado a la beneficencia pública.

A la dificultad de probar estas generalizaciones se unen otros argumentos de la misma fuente etnocéntrica. La tradición hispana, por ejemplo, que desconoce esas fórmulas de seguridad social, incluye formas, incluso pintorescas, de orgullo. Vivir de limosna, en la tradición picaresca, no ha sido un comportamiento usual en el mundo agrícola, rural. Es más bien algo de ciudad, que nace en los arrabales de las casas nobles, en ese ejército de criados y deudos que malvive en torno a los señores y de cuyo rango nacen más tarde el paseante en Cortes, el plumífero capitalino, el beneficiado eclesiástico.

La tradición obrera, aunque corta, es mucho más bronca y realista. El obrero sabe muy bien que el capital no es compasivo y alberga siempre la sospecha de que los favores patronales, aún encubiertos en la burocracia pública, requieren algún tipo de compensación. La llegada del Estado bienestar es, en cierto sentido, más adecuado a la cultura anglosajona o europea no latina, que lo ven cómo la compensación justa al fracaso moral del capitalismo en el que creen.

En todo caso hay que reconocer que ni el «welfare» a la americana ha engendrado muchos hispanos adictos ni deja de ser verdad que una parte del viaje al norte está motivado por esa beneficencia pública de la que carecen tantos países del sur.

Pero la América profunda no cree en el «welfare» y apenas hay presidente, populista, o conservador, que no haga un discurso sobre la ética del trabajo y los inconvenientes de la beneficencia. Luego, la realidad les desmiente porque la convivencia americana es tan dura que, de no existir ese apéndice compasivo del capitalismo, sería mucho más difícil reprimir las reacciones de los desheredados. Como sostenía hace más de un siglo Heriberto Spencer, padre de la sociología anglosajona; «Nuestra forma de enriquecernos requiere una cierta insensibilidad moral y bastantes policías».

Un subproducto del sistema es el «human garbage», esos miles de personas sin empleo ni compensación, sin familia y sin hogar, que deambulan por las calles, se refugian del frío en los lugares públicos y no tienen más amparo que la beneficencia.

A los hispanos no les afecta mucho todavía esa condición desesperada. Entre otras razones porque la edad media del colectivo, primeros emigrantes sobre todo, es bastante baja y porque los viejos de la étnia están protegidos por ese concepto de familia extensa que forma parte de la tradición propia. Sin embargo, como cuentan algunos, nada hay más horrible que formar parte, aunque sea por poco tiempo, de esa multitud de los sin hogar que, en invierno, se arrebujan en torno a los espacios comunes y, como son la antitesis viviente del sueño americano, constituyen un espectáculo que la gente corriente no quier ni ver.

Las instituciones públicas americanas eran ya una realidad cuando, después de la segunda guerra mundial, puertorriqueños y mejicanos empezaron a llegar en grandes números. Junto al sistema público y gratuito de educación había una razonable organización de beneficencia que se expandiría en la década siguiente.

El aparato judicial, la policía y las prisiones, eran la expresión cotidiana de la fe en el derecho de la cultura anglosajona, aunque en tantas ocasiones no puede hacer otra cosa que procesar las contradicciones y los altos costos humanos del sistema de mercado. Un número importante de agencias públicas constituía la red de atención sanitaria que significó una importante contribución a la salud de tantos hispanos, incapaces de procurarse por sí mismos los beneficios de la sanidad privada.

Poco a poco la red protectora se ha ido expandiendo y han nacido agencias como la de ayuda a los pequeños negocios, que han ido más allá y han significado una especie de acción afirmativa para compensar la dureza del mundo mercantil en el que los hispanos, como los buenos americanos de las historias a lo Horacio Alger, empiezan desde abajo.

Las instituciones, las públicas y aun las privadas, regidas por esa legalidad formal que permea la convivencia americana, son un punto de referencia importante para entender las aventuras hispanas en los Estados Unidos. «Podemos criticar cuanto queramos la fuerza de la vida y del trabajo, pero está claro que éste es un país serio, donde en seguida te haces adulto y aprendes que hay que cumplir los compromisos y la palabra dada», comentaba un comerciante cubano de Orlando.

La legalidad anglosajona tiene una inmediatez y una operatividad que contrasta con la tradición latina, más pomposa, más formalista, que refleja una sociedad jerárquica. Las compañías americanas tiene expertos para ver la manera de pagar menos impuestos, pero pocos se libran de pagarlos y de sufrir los castigos correspondientes por no hacerlo.

De la misma forma, los hispanos se sorprenden de la inevitabilidad y la perentoriedad de las leyes sobre el tráfico, sobre la construcción, sobre los protocolos sociales. El mundo entero se maravilló en su día de que la democracia formal, encarnada en el Congreso y en el poder judicial, fuera capaz de encararse con un presidente no demasiado cuidadoso con el cumplimiento de las leyes, hasta lograr su dimisión. Y aunque en ocasiones la designación popular de los jueces o las circunstancias de algún caso prueban que también la justicia se puede comprar, de hecho el imperio de la ley es una de las vivencias más obvias cuando se cruza la frontera.

«No puede ser de otra manera —comenta un oficial chicano de un juzgado de Los Angeles—. Bastante dura es ya la competencia económica, la sensación de que el dinero lo compra todo.»

La fe en la legalidad, en la igualdad ante la ley forma parte de la convicción republicana de un país que hace un siglo poseía territorios donde aún imperaba la voluntad del más fuerte.

Sin duda que también en América la legalidad refleja sustancialmente la ordenación capitalista de la convivencia y que le es más fácil al rico que al pobre acatarla o, eventualmente, vadearla, pero, en su conjunto, las instituciones legislativa y judicial, en cuanto definidoras y ejecutoras de un marco de protección a los derechos civiles, constituyen un apoyo fundamental a la causa de las minorías.

No siempre fue así, como hemos visto. Pero apenas se promulgó la legislación antidiscriminatoria y progresista de los años cincuenta y sesenta, el aparato judicial se convirtió en el amparo de tantos hispanos que, como antes los negros y los amerindios, sentían en sus vidas la prepotencia ajena. Sin embargo, ese mismo aparato judicial se resiente en los años ochenta de la fuerza de la contrarreforma conservadora. Desde los nombramientos de la Administración Reagan a las limitaciones en el gasto judicial, la fe de algunos americanos en la justicia se ha hecho más quebradiza. Ello afecta singularmente a los menos pudientes que no tienen el dinero suficiente para litigar. Pleitear es el gran deporte nacional de la América de los ochenta y casi todos los contratos están redactados con la mira puesta en un eventual conflicto. Desde los pleitos domésticos hasta los laborales e inmobiliarios, el ciudadano común aprende a considerar a los tribunales como parte de su escenario cotidiano, a lo que contribuye su participación en la institución del jurado.

Expertos hispanos se quejan de que los procesos tienen un prejuicio pro anglo, de que hay pocos funcionarios que sepan español, de que a mendida que se recorre la América rural y provinciana la justicia refleja las filias y las fobias de los anglos menos sofisticados. La población hispana se está acostumbrando, sin embargo, a luchar. Jueces y fiscales, abogados y procuradores hispanos están ya en las salas y en los corredores de los juzgados, aprendiendo los trucos del oficio y ejerciendo muchos de ellos una pedagogia legal sobre sus hermanos de raza que éstos aprenden a gran velocidad. Precisamente en este terreno tiene MALDEF (Mexican-American Legal Defense and Education Fund) su principal acción defensora y reivindicativa de los derechos de los hispanos.

Sin embargo, el gran tema sigue siendo el alto porcentaje de hispanos que tienen cuentas con la justicia, que habitan las cárceles del sistema. «Es una plaga como el SIDA (AIDS) —relata un médico forense hispano de Los Angeles—. Los hispanos tienen el doble de pleitos criminales que los anglos y dos de cada tres presos en las cárceles son hispanos o negros, igual porcentaje que en el SIDA.»

La relación entre pobreza y delincuencia es un clásico de la sociología. El gueto urbano y el desempleo son los mejores criaderos de marginación y los hispanos, especialmente en la costa este, han visto cómo sus nombres y apellidos aparecen en los informes policiacos, en las sentencias criminales, con una visibilidad comparable a esa otra visibilidad externa de tantos negros compañeros de infortunio.

La presencia de los habitantes de los escalones más bajos de la escalera social americana en el mundo del crimen y la ilegalidad presenta, sin embargo, perfiles castizos. América tiene una tradición violenta nacida en la violencia original del asentamiento blanco, ilustrada por los episodios de la conquista del oeste, con su componente folklórico en la aventura del oro. Las películas y los folletones nos han familiarizado con las sangrientas epopeyas de esos territorios dominados por los sin ley, que campan por sus respetos entre indios, agricultores, ganaderos y mineros, hasta que el bueno castiga al villano y se convierte en el sheriff del lugar.

La violencia castiza rebrota en la dominación blanca sobre la esclavitud negra, con sus corolarios del linchamiento y el Kukluskian, en zonas igualmente abiertas y desprovistas del aparato coactivo gubernamental.

Pero no se trata solamente del mundo rural. También la ciudad americana fue desde su origen un lugar violento, en especial por dos razones; el conflicto de intereses entre viejos y nuevos pobladores de las zonas bajas y la dificultad de generar un consenso civil en una sociedad de aluvión, cuyo único denominador común era la economía.

La plutocracia americana ha tenido una definición social básicamente monetaria. La referencia al dinero como valor abstracto, desprovisto de su conexión con la tarea productiva, es una constante americana que se plantea como reacción frente a la legitimación europea de la riqueza, más rígida, más sofocante.

El dinero, que en Europa es síntoma de otras posesiones y habilidades, se convierte en América en pasaporte social, en justificación de status.

Esa desafectación del símbolo monetario, esa conversión del oro —o del dólar— en bien intrínseco, con independencia de su modo de adquisición, está en la raíz de los modos de enriquecimiento del Nuevo Mundo y también, naturalmente, de la intensidad de su violencia, que empieza ya en la España de los galeones.

La rapiña del oro y, más tarde, del billete de banco, se convierte en negocio de hampones y bandas que no ven ningún inconveniente moral en aligerar las bolsas de los pudientes. La epopeya del ladrón de bancos, el prestigio social del atracador valiente, los problemas de legitimación y corrupción de la policía son temas clásicos de la literatura y del cine americanos y adquiere nuevas dimensiones en las sagas televisivas de los nuevos Bonny and Clyde.

Las historias de «cops y robbers» —policías y ladrones— constituyen la trama anecdótica de ese consenso reverencial del dinero, que evoluciona y se hace más complejo con el tiempo, pero no deja de prestar asentimiento a la soberanía del «greenback, wherever you got it».

La persecución violenta del dinero se hace solidaria de otras felonías en la historia de los negocios ilegales.

La peculiar resonancia de puritanismo anglo sobre la vida americana conduce a uno de los episodios más tristes de su historia —la prohibición—, que dio origen a una estructura, el crimen organizado, de contenido y colorido peculiarmente americanos. Fueron unos años trágico-cómicos. Gran parte de la opinión pública consideraba como negocio legítimo proveer de alcohol al consumidor, mientras las fuerzas conservadoras clamaban contra las infracciones a una ley que terminó asociando comerciantes legítimos con ilegítimos, arruinando el prestigio social de la policía y consolidando al crimen organizado como parte esencial de la estructura social americana.

El prejuicio anglo sobre formas y apariencias dio lugar al conocido oficio de «middlemen», los hombres encargados del trabajo sucio y en el que encajaban que ni dispuestos por encargo las minorías pobres. La historia de la mafia irlandesa e italiana y sus conexiones con el Establishment anglo está ya documentada y nos explica cómo los mentores del crimen organizado supieron sacar partido de las lealtades étnicas, de las solidaridades pueblerinas —de la verde Erín, de Sicilia—, para crear ese ejército de juramentados por la «omertá», al servicio de los negocios menos presentables de la economía americana.

No era extraño que pronto se utilizase al clan hispano para los mismos fines, tanto más cuanto que la nueva prohibición, el nuevo veneno social, toma la forma de drogas y alucinógenos provenientes, en su mayoría, de América latina. Desde la conexión colombiana a los modestos camellos urbanos, los hispanos protagonizan gran parte de ese tráfico en el que hoy se acumula la mayor dosis de criminalidad y violencia de la escena americana.

Los rostros morenos de los encausados por las brigadas del vicio, los nombres latinos de los nuevos mafiosos, desde el cartel de negociantes de Medellín a los modestos empujadores de papelinas en el Bronx o en el Loop, prestan su imagen negativa a tantos millones de hispanos laboriosos y cumplidores de la ley.

La forma en que jueces y policías, carceleros y guardias rurales están interiorizando hoy el prejuicio antihispano tiene mucho que ver con la droga. «Pero va más allá —confiesa una abogada de Los Angeles—. La policía utiliza a los hispanos hoy, como a los negros ayer, para descargar su impotencia y sus malos humores. Y, sobre todo, para infundir esa sensación de inseguridad y miedo en el gueto, que es una de las formas habituales de control de la población marginada.»

La historia del crimen, la violencia y los ajustes de cuentas relacionados con ellos, dentro y fuera del sistema judicial, policiaco y penitenciario, son uno de los capítulos más negros, siempre sistemáticamente renovado, de la desarticulación de una sociedad, estructurada básicamente en torno a los intereses. Si es verdad que en América los pobres se hacen pronto adultos, se debe, sobre todo, a la dureza con que las instituciones de control reflejan la geografía del individualismo. «El impulso para escalar posiciones sociales viene dada en gran parte por el miedo a quedarse en ese mundo de la pobreza y el crimen —comenta un religioso español que ejerce su ministerio en Chicago—. Porque aunque mucha gente franquea ese umbral, muchos más siguen atrapados en unas circunstancias donde lo más común es la familiaridad con los golpes, las detenciones en comisaría, las estancias en la cárcel.»

El mundo hispano, a través de sus organizaciones, de la indoctrinación familiar, está empezando a defenderse de su incorporación rutinaria al crimen y a la violencia americanas. Es un sacrificio grande, porque ha de hacerse desde la misma pobreza y marginación, cuando existen tantas tentaciones, tanta inercia, de signo contrario.

«El asunto empieza, incluso, con la misma emigracion —cuenta un oficial de la «Migra»—. Estas pobres gentes son ya esquilmadas porel "poyero", que les pasa el río y compran su esperanza de trabajo con el poco dinero que han guardado. Por eso les cuesta tanto trabajo renunciar a la proposición de que lleven droga cuando crucen para conseguir unos primeros dólares. Ese suele ser el primer paso de tantos pequeños narcotraficantes, de tantos jóvenes aventureros que, si les sale bien la operación, continúan en el negocio, aunque pronto empieza a tener sus pleitos con las mafias, la policía y la justicia.»

La sociedad americana utiliza el fenómeno de la drogadicción como chivo expiatorio y escenario básico de la degradación de una convivencia, aunque ésta tenga también otras causas menos clamorosas, más profundas. En todo caso, el fenómeno representa un costo adicional de la condición hispana en los Estados Unidos. Pero hay otra cara de la moneda.

La Administración demócrata diseñó en su día una política compensatoria para los menos pudientes, en el marco de su estrategia de cambio. Tenía varios componentes, algunos ya mencionados. Otros se perfilaron en torno al principio de lo que se llamó acción afirmativa. Se trataba con ello de compensar las inercias machistas, corporativistas o racistas de las instituciones públicas y privadas y pronto fueron utilizadas para la protección de la minoría hispana. No se trataba, y mucho menos se trata hoy, de grandes compensaciones o de un camino de r osas. Son actuaciones puntuales, entre las que destaca la ya citada oficina protectora de los pequeños negocios, cuyos préstamos y ayudas han servido para que ese tupido mundo del comercio al detall, del pequeño taller, se llene de nombres hispanos como lo fueron antes negros, asiáticos o indios. El marco institucional presenta, pues, un reto al mundo hispano, en cuanto que su mayor participación representa, por una parte, un signo de integración y, por otra, necesita de la reforma y, sobre todo, de la generosidad ciudadana para que no se convierta en un factor adicional de discriminación.

La raíz básicamente anglosajona de la estructura institucional americana premia la iniciativa privada y los conciertos voluntarios. Existe una desconfianza latente hacia la imposición autoritaria y la intervención gubernamental, parte de cuyos supuestos están siendo reprensados, reelaborados, por una ciudadanía que encuentra en los retos económicos y sociales de hoy una ocasión de acomodar su filosofía a las nuevas circunstancias.

Ahí los hispanos, con su otra tradición y con su capacidad de adaptación, están llamados a compartir también los nuevos diseños.

# 10. Cultura

Las discusiones entre abuelas y nietas sobre el uso preferente del canal de televisión hispano reproducen, en términos domésticos, las argumentaciones de los expertos sobre la biculturalidad.

Un corte longitudinal de actitudes en las familias hispanas de América nos presenta la variopinta heterogeneidad de comportamientos de un país en el que el margen de libertades en los recintos privados es probablemente el más ancho del mundo.

La cultura hispana en los Estados Unidos está atravesando por un momento importante, mezcla de afirmación e incertidumbre. Lo que parecía una etapa transitoria, ese orgullo de lo propio, típico de toda emigración, parece que está durando más de lo debido, más de lo que los textos de sociología prescriben. Pareciera como si los hispanos no estuvieran muy dispuestos a pagar todos los precios del «melting pot» e incluso muchos de ellos creen que, sea cual sea lo que signifique hacerse americano, vale la pena incluir en el paquete la memoria histórica de la raza propia, con todas sus contradicciones y bastantes expresiones de una cultura que se resiste a morir y que está acoplándose al medio, creando nuevas formas, en simbiosis caliente con otras culturas. «Sea lo que sea lo que vaya a ocurrir en el futuro, yo puedo asegurarle que lo nuestro está vivo y hay suficiente gente en cada generación, en cada comunidad, para que siga vivo» —decía un músico de Alburquerque.

Y no hay que olvidar como factor adicional, aunque determinante, que mientras la emigración continúe, mientras la frontera sur del imperio siga siendo porosa, la cultura hispana se renueva por crecimiento vegetativo de sus clientelas.

La tolerancia americana por las idiosincrasias es tanto más cierta cuanto más sólida la infraestructura económica. El mensaje central es inequívoco, rendir un culto reverencial al dinero. Por ello, todo lo demás es negociable. La obviedad del asunto es tal que precisamente muchas manifestaciones culturales son fórmulas para poner distancia simbólica frente a una dominación tan aplastante. Y aquí entra no sólo la afirmación de las culturas de solidaridad étnica o rural, sino también los muchos emperifollamientos con los que la clase media y alta se engalanan para probar a sus vecinos, e incluso a sí mismos, que sus vidas son algo más que la búsqueda de dinero.

Por eso, y pese a la fantástica riqueza de la expresión artística, literaria, monumental de Estados Unidos, siempre hay como un miedo a que gentes de culturas más antiguas o más pobres tachen de hortera, de «nouveau riche», a las sucesivas y con frecuencia originales manifestaciones de la cultura americana.

En esa urgencia por distraer la atención propia y ajena del negocio principal, el folklore étnico tiene un lugar destacado, desde las diferentes confesiones religiosas que escenifican un pasado ritual para tantos americanos de origen ruso, o griego, o judío, hasta esos islotes de disneylandias alemanas, inglesas, chinas, que, con el patrón de aquel artífice de tantas fantasías, nos sorprenden a la vuelta de una esquina en el medio oeste o en el centro de una urbe cosmopolita. La fórmula del «Chinatown», con su dosis suplementaria de morbo, se ha desarrollado bajo otros conceptos o determinaciones, de tal forma que los Estados Unidos son un país de emigrantes también en el sentido de reificar las culturas originarias en una mezcla de museo vivo y reserva poblacional escasamente inteligible para otras culturas.

El barrio hispano, que empezó teniendo una obvia definición social de pobreza residencial, casi de gueto, ha cobrado interés cultural. No sólo porque es un lugar donde los lazos de solidaridad étnica se anudan, dando origen a conciertos legales e ilegales, entre familias y clanes. No sólo porque para muchas familias es una fórmula barata de criar a sus hijos, en el tejido más tupido del comadreo hispano. Sino también porque a él vuelve el trabajador desde su jornada laboral en un mundo más racionalizado y se encuentra con una versión, modernizada pero fiel, de aquella provincia, de aquel pueblo donde nació.

Muchos hispanos, sobre todo muchos hombres, no pueden tolerar el modelo de vida suburbano según el cual después del trabajo uno vuelve a su casa a ver televisión en familia y a cultivar las artes domésticas. Una tradición antigua, en la que va incluido un buen trozo de machismo empuja al varón a la cultura de la taberna y el café, mientras las comadres se juntan a hablar mal de los hombres y a comentar las alegrías y las penas.

No se pueden hacer, de todas maneras, muchas generalizaciones al respecto. Hay hispanos bien anclados en la domesticidad suburbana que van al barrio tan de turistas como los anglos, pero en el núcleo de la cultura está ese sentido comunitario del tiempo libre, sobre el que se han hecho tantas argumentaciones y no pocos chistes.

«Lo propio de los hispanos es ser anglos de lunes a viernes y castizos el fin de semana» —sermonea irónicamente un amigo del «melting pot».

Esa reducción de lo castizo a lo voluntario es, a la vez que un modo de desarbolar la militancia política, una manera de reconocer, en términos étnicos, la profunda escisión de la modernidad entre vida pública y vida privada, sobre la que tanto hemos insistido aquí.

Quizá el «locus» más interesante de observar al respecto, y no sólo en América, sea la religión.

Los teóricos de la democracia americana suelen presumir de la sagacidad con la que los padres fundadores de la república alejaron de la constitución política las creencias y disputas religiosas que tanta sangre y disensión habían producido en el Viejo Mundo. La separación entre Iglesia y Estado, una y otra vez sancionada por la praxis política y judicial, se presenta justamente como un componente más de la separación entre lo público y lo privado, que caracteriza a la modernidad. Los pactos, los intereses de la vida política y profesional no deben recibir sanciones eclesiásticas. Los pastores, los sacerdotes, deben limitarse a presidir las celebraciones sabáticas o domingueras y a motivar la moralidad doméstica de quienes, de lunes a viernes, no tienen más remedio que luchar por la supervivencia en el mundo de la competitividad.

Por mucho tiempo, las iglesias protestantes predominantes en los Estados Unidos trataron de concentrarse en ese papel ritualista y admonitorio, recetando moralidad familiar a las clases pudientes y una cierta caridad para el alivio de las miserias del capitalismo. Y cuando algún eclesiástico se permitía entrar en el análisis político, encontraba en seguida la ceñuda oposición de los secularistas.

El asunto cambió con las emigraciones irlandesa e italiana cuyos clérigos, en la línea de la tradición católica, se consideraban legitimados para vocear sus jeremiadas contra la dureza de los ajustes de clase. Al mismo tiempo, los católicos organizaron la primera red nacional de escuelas confesionales del país como una fórmula para proteger la fe de los nuevos católicos, ya americanos, que de paso se convirtió en una plataforma cultural.

Pero la iglesia y la escuela parroquial empezaron a ser también una forma privada de Estado bienestar para los pobres y, paralelamente, dieron pie a algunos teólogos más concientizados a unir sus voces clericales a la de ciertos rabinos, ciertos pastores protestantes, que promovían una moralidad pública en el país que presume de que su credo democrático es una especie de religión civil.

La depresión económica de los años treinta, las guerras mundiales, y sobre todo la del Vietnam, acentuaron, si cabe, la contradicción entre la teoría constitucional de la separación Iglesia-Estado, y a partir de los años setenta se empezó a producir en los Estados Unidos una confrontación pública, de carácter religioso, que ha afectado particularmente a los hispanos.

La contradicción entre la fe democrática y el imperialismo empezó a servir de tema para sermones y proclamas y al calor del Concilio Vaticano II los curas y las monjas católicos comenzaron a pisar ese terreno que en América sólo habían transitado hasta entonces los pastores del anabaptismo de color.

El mundo hispano se ha debatido desde entonces entre dos actitudes. Por una parte, considerar a la religión católica principalmente como una parte de su folklore, restringida a la etnicidad de fin de semana. Y, por otra, adentrarse en el peligroso sendero de reivindicar, por razones religiosas y con ayuda de la militancia eclesiástica, derechos civiles, pretensiones de clase e, incluso, cambios en la política internacional del imperio.

La primera fórmula, la del cura como pastor, principalmente de mujeres, y eventualmente protector de los débiles, tiene bastante arraigo, especialmente porque la Iglesia católica americana se ha dado cuenta de que en la tierra de la eficacia corre el riesgo de perder sus fieles a confesiones más activas, más caritativas. Muchos hispanos se han hecho protestantes justamente por eso. De ahí que la Conferencia episcopal americana haya creado un secretariado para los hispanos, haya empezado a ordenar sacerdotes y obispos hispanos y empezado a defender las causas de quienes, en último término, están llamados a ser su más cuantiosa clientela.

Pero los obispos católicos, por razones históricas, y también estratégicas, están haciendo algo más. Aunque conservadores en la moral privada —divorcio, aborto— son más que avanzados en lo social y no sólo no han desaprobado a sus clérigos más impacientes con el capitalismo, sino que son claramente hostiles a la versión imperialista de Washington y, sobre todo, a sus aventuras latinoamericanas. Hasta tal punto que, por ejemplo, la red de refugios eclesiásticos por los que transitan los emigrados de dictaduras amigas de Washington ha sufrido persecución policiaca y judicial. Funcionarios y jueces, celosos de su autoridad, exhiben la tradicional separación entre Iglesia y Estado para prevenir tales acciones, pero ello no parece que sirva de mucho para frenar esa movilización eclesiástica a favor de las causas de los débiles en el flanco sur del imperio.

La religión se hace políticamente beligerante y en ese escenario los hispanos encuentran una nueva dimensión de su fe, que se acerca peligrosamente, en opinión compartida por Washington y Roma, a los postulados de la teología de la liberación.

Pero no tardó en llegar el contrapunto. La década de los ochenta está presenciando el auge de las sectas y movimientos fundamentalistas, galopando en la cresta de la ola neoconservadora. Los teleevangelistas, mezcla de showman y profeta, usando todos los artilugios de la comunicación de masas, han hecho crecer la clientela de quienes ven la vida en blanco y negro y se confiesan renacidos —«born again»— al cristianismo.

Es un cristianismo peculiar, aunque no menos tradicional que el otro. Se fundamenta en la ética del capital y en la riqueza como símbolo de predestinación. Un teleevangelista llegó a decir recientemente que Jesucristo no sólo estaba rodeado de pobreza, sino que entre sus discípulos había gente importante, incluso había algunos dueños de una flota pesquera.

Los fundamentalistas religiosos han hecho muy buenas migas con los fundamentalistas políticos y comparten con ellos una visión pesimista de las libertades americanas, casi todas las cuales son para ellos más bien libertinajes.

También han hecho un buen reclutamiento entre hispanos, sobre todo en Miami, donde la contradicción religiosa es particularmente evidente. En Miami están, por una parte, los exiliados de Castro, que utilizaron la religión fundamentalista para criticar a las dictaduras de izquierda, y, por otra, también radican en esa ciudad, nueva capital del Caribe de los intereses, grupos y organizaciones apostólicas que tratan de reclutar dinero y entusiasmo para ayudar a los pobres y a las causas de la justicia social latinoamericana.

La religión ha dejado de ser, pues, para muchos hispanos, una referencia sólida. Hay curas que les invitan a la afirmación étnica y otros que les incitan al «melting post». En algunas escuelas católicas educan a los niños en un estricto comportamiento sexual y en otras les dan información abundante sobre el SIDA.

Sin embargo, la religión como ritual sigue acompañando la vida del barrio y marcando los hitos biográficos de la mayoría de los hispanos. El colorido de ceremonias y procesiones, los ritos conmemorativos del calendario eclesiástico y las fórmulas litúrgicas para bien casarse y bien morir forman parte de la tradición hispana, aunque muchos los estén olvidando y otros los estén sustituyendo.

América es, de suyo, un país básicamente religioso, quizá por carecer de otras fórmulas de asociación ajenas a los intereses. La capilla y el servicio divino constituyeron una fórmula de civilización del salvaje Oeste y todavía gran parte de los requerimientos de humanización de la sociedad competitiva tienen origen y voz eclesiástica.

Pero el final del siglo XX no se parece demasiado a los que presenciaron el auge y estimación de las culturas étnicas. La sociología funcionalista en su primera hora había diseñado un esquema de entendimiento del proceso de modernización, en cuya virtud, formas de vida y expresión cultural de origen básicamente rural, asentadas en la persistencia de mitos religiosos, sufrían una transformación paulatina a manos de los racionalistas poseedores de la tecnología industrial urbana y, perdiendo sus raíces, entraban en una especie de funcionalidad existencial a sus deberes cotidianos.

La tesis funcionalista, que en cierto sentido está debajo de la teoría del «melting pot», tuvo mucho predicamento a la hora de interpretar los cambios sobrevenidos en América latina bajo la dominación mercantil americana, desde la perspectiva académica anglosajona.

Antropólogos y sociólogos, bañados en una benevolente autoestimación, escribían y predicaban en los años cuarenta y cincuenta acerca de los salutíferos efectos de la modernización a la americana y desgranaban las ristras de virtudes personales y colectivas que los recién incorporados a la modernidad, los catecúmenos de la fe progresista, debían adquirir y estaban de hecho adquiriendo. La nueva fe incluía una racionalidad que desechaba los modos de interpretación cultural nativos como algo simpático, curioso, e incluso recuperable folklóricamente, pero irrelevantes para la nueva época.

No hace falta ser marxista para afirmar que gran parte de la confianza que tenían aquellos agentes culturales de la modernización a la americana se debía a las buenas cifras de la economía norteña, cuyas máquinas se calentaban con la reconstrucción posbélica mundial y empezaban a construir la América de las clases medias consumistas, que estaban empezando a tocar un techo de bienestar desconocido hasta entonces. Sus padres, e incluso ellos, aún tenían en la memoria los años duros de la depresión.

Mirando hacia atrás con ira, como es cotumbres de los analistas menos conformistas, se descubre, tanto la endeblez del esquema modernizante como la petulancia cultural de quienes, en su afán de diseñar la nueva esperanza, se olvidaban de tener en cuenta no sólo las carencias de la América profunda y sus corolarios coloniales, sino la necesidad estricta que tenían tantas víctimas forzosas de aquella modernidad de recurrir a sus propias culturas para entender, reaccionar y, eventualmente, resistir las novedades que se le venían encima.

«Si aquel bienestar hubiera durado, si hubiera sido verdad aquellos del trickle down, de la expansión paulatina de la riqueza hacia abajo, a lo mejor no hubiera ocurrido una reacción tan violenta contra la cultura dominante —comenta un antropólogo mexicano—. Pero lo malo es que no duró ni veinte años, consolidó una clase media dependiente y alienada y cavó una fosa, por ahora irrellenable, entre éstos y el pueblo.»

Tanto en América latina como incluso en los Estados Unidos, ese pueblo está echando mano de toda clase de recursos, incluso las herramientas culturales más primitivas y el sincretismo más adocenado, para salir adelante de este fracaso de la modernidad impuesta.

La cultura es inseparable de sus elementos materiales, de las condiciones de vida en que se sustenta y a las que recrea y da voz. Por eso es tan contradictoria la afirmación cultural hispana en los Estados Unidos, especialmente ahora en que voces ilustradas de la mayoría anglo condenan, con más aspereza si cabe que los latinos, el reduccionismo y la trivialización de la convivencia en el país más rico de la tierra.

Pero este no es un capítulo de jeremiadas, sino de constatación. Las fórmulas de cultura cotidiana de la modernidad, desde los modos de residencia, alimentación y ornato, hasta las maneras de ocupar eltiempo libre, pasando por las modas en el vestido, en la música y en las demás artes, están siendo reconducidos a esa dicotomía sustancial entre trabajo y descanso, vida pública y privada, tantas veces comentada aquí.

Sólo voces muy enraizadas en las viejas culturas o los pregoneros de una nueva civilización se atreven a poner en discusión, sin embargo, un modelo de convivencia en el que la participación personal en el diseño de las necesidades colectivas, en las prioridades de inversión comunitaria se reducen, se codifican, en una serie de momentos, a cambio de disfrutar de libertades y fruiciones crecientes en las zonas menos relevantes de la vida.

«Es una esquizofrenia —comenta un veterano actor del teatro chicano—. Tenemos cada vez más tiempo, más oportunidades, e incluso más dinero, para el ocio. Las artes florecen, sin duda, Pero desde mi ocio, desde mi vida privada, yo puedo influir muy poco en mi vida profesional, en mi vida pública. Gentes cada vez más inteligentes, más cultivadas, tienen que reducir su capacidad creativa al tiempo de ocio sin que en el otro tiempo, el del trabajo, el de la acción política, se les permita expresar su personalidad.»

El estrechamiento de la realización personal en el trabajo es sentido más agudamente por trabajadores industriales y de servicios repetitivos y a ello es paralelo ese otro reduccionismo de la vida política en que consiste la democracia convencional. De tal manera que a la gran mayoría le queda sólo lo privado, la cultura con minúscula, para satisfacer sus más profundos anhelos.

Los hispanos están aprendiendo a convivir con ese sistema y, aunque algunos se duelen de su artificiosidad, sacan el mejor provecho de la situación, especialmente en el mundo de la cultura, de la expresión artística.

La presencia hispana crece en la música, en el espectáculo, en el deporte de masas. Muchos creadores y no pocos artistas se abren paso en los escenarios de la fama, tanto en versión bilingüe como monolingüe. Algunos se conforman con la clientela étnica, otros ya están integrados en la industria americana del entretenimiento y son conocidos a escala nacional.

Quizá la expresión más antigua y más contradictoria de la expresión plástica hispana en los Estados Unidos sea el chicanismo. Como es sabido, el chicanismo, aparte de una versión política y otra cercana ideológica, tiene manifestaciones culturales, sobre todo la teatral y la literaria, donde se expresan los anhelos del pueblo y del barrio y donde tantas veces la expresión artística ha encauzado las otras aspiraciones y, sobre todo, los otros conflictos. La expresión más clásica del chicanismo político es la Asociación de Trabajadores Agrícolas, fundada por César Chávez. Como apéndice de ella, Luis Miguel Valdés fundó el Teatro Campesino, que sirvió de plataforma propagandística al movimiento, a veces tanto o más intensamente que la agitación, a través de obras como «Los vendidos» o sus corridos políticos, mil veces repetidos ante audiencias tanto campesinas como urbanas. Poetas como Rafael Jesús González, Francisco Jiménez, Ricardo Sánchez, «Corky» González y Alberto Heredia, junto a autores y novelistas como Ricardo Vázquez, Tomás Rivera, José Antonio Villarreal y Rodolfo Anaya componen, con muchos otros, un tapiz de expresiones, mitos, héroes, esperanzas y afirmaciones étnicas que siguen con interés tantos mexicoamericanos. A ellos se unen los artistas plásticos, que siguen la tradición santera como Esteban Villa o Manuel Hernández Trujillo o la naturalista como Antonio García. Otros como Luis Jiménez, Porfirio Salinas, Edward Chaves o Melesio Casas son ya claramente modernos.

En el mundo puertorriqueño predomina la literatura comprometida de Juan Soto y Piri Thomas, compañeros ideológicos de aquel judío americano Oscar Lewis, que con su obra «La vida. A puerto Rican family in the culture of poverty» (1965) combina la investigación antropológica con la crítica del capitalismo. En la misma línea, novelistas como Pedro Juan Soto, poetas como Pedro Juan Pietra y Jesús Menéndez y escritores como Juan Avilés.

El mundo cubano, como el centroamericano, no ha producido todavía en los Estados Unidos una expresión artística del porte de los anteriores. La cercanía de la emigración y su peculiar carácter tiende más bien a reforzar los lazos con el pasado inmediato. Las fiestas populares, las conmemoraciones son, casi siempre, simples traslaciones de lo que había, o aun hay, en la isla, en la tierra natal.

La clientela hispana ha producido una demanda de prensa, radio y televisión que, pese al notorio bilingüismo, o incluso anglosajonización de las nuevas generaciones, no deja de crecer. Junto a las publicaciones de los grupos de interés, como el «Latin Times», de Chicago, periódicos como «La Opinión», de Los Angeles, o el «Diario de las Américas de Miami», el diario «La Prensa» y «Noticias del Mundo», de Nueva York, son más internacionales que los periódicos anglos, algo que se puede comprobar comparando la edición inglesa y la española del Miami Herad y que es obvio en la radio y en la televisión.

Veintisiete periódicos, entre ellos el «New York Darly News», con una circulación total de 1.200.000 ejemplares, insertan en su edición dominical el semanario «Vista», la primera revista en inglés sobre el mundo hispano.

Ciento setenta y siete estaciones de radio transmiten en español en los Estados Unidos y Puerto Rico y otras 450 incluyen de una a veinte horas semanales de programas en español. Igualmente 29 estaciones de televisión, que en su mayoría están afiliadas a Univisión, antes Sin, y tres a la nueva cadena Telemundo, además de algunas independientes.

Los hispanos están emergiendo como figuras claves en el gran negocio del entretenimiento, y no sólo en clave hispana. De los tiempos del tipismo folklórico en que Xavier Cugat, José Ferrer, Rita Moreno o Anthony Quinn disfrazaban de alguna manera su origen, hemos pasado al orgullo de afirmar la herencia propia de esos mismos y tantos otros, hasta el punto de que el público ha dado por bueno hasta el origen boliviano de Raquel Welch.

La música hispana, de los corridos a la bamba, de los sones caribeños al tango, se ha incorporado a la discografía americana, a la sinfonía nocturna de cabarets y teatros. Y la televisión ha dado el definitivo golpe de gracia a la separación étnica, por cuanto que actores como Tony Orlando, Rene Henríquez, Gerardo Riviera y tantos otros siguen los pasos de la cubana Desi Arnez.

Las películas hispanas van incrementando su cuota de mercado. En ellas todavía persiste la afirmación étnica y el componente didáctico y reivindicatorio, como en Zoot Suit, la historia de la violencia militar y policiaca contra los hispanos en el Los Angeles de la segunda guerra mundial, o El Norte, la epopeya del viaje latino al corazón del imperio.

Actores y actrices hispanos, con papeles y actuaciones en español, en inglés o en ambos idiomas han dejado de ser marginales o exóticos y hasta la misma industria anglo comienza a asumir la historia y el componente hispano de los Estados Unidos y a convertirlos en material ordinario de su producción. Carlos E. Cortés, historiador en la Universidad de California, en Riverside, comentó para VISTA esa evolución: «Los hispanos eran los villanos y los bufones de los años treinta, cuando los llamaban "greasers". Algo mejoró con las películas de guerra, pero en los sesenta el cine idealizó la violencia y el gansterismo hispano en películas como «West side story» o «Fort apache». Lo malo es que ahora también las imágenes de la violencia de la drogadicción son latinas».

Sin embargo, el protagonista hispano de tragedias americanas como «Tour of duty» sobre el Vietnam visto por un combatiente hispano o la reciente película de Redford «The milagro beanfield war» acerca de la violencia de los especuladores de terreno sobre los agricultores chicanos de Nuevo México, afirman la historia y la sociología en un sentido más realista, un poco como si la perspectiva anglo integrara a las otras en la visión de América. Los nombres hispanos empiezan también a asomarse al éxito deportivo. Desde Lee Treviño y Nancy López, en el golf, a Valenzuela en el baseball.

La reflexión sobre la tipología hispana y los esterotipos anglos en torno a ella ha formado siempre parte del esfuerzo intelectual, de la discusión política de los hispanos concientizados. El mismo chicanismo contiene abundantes expresiones literarias al respecto en publicaciones como «El Grito: Journal of Mexican American Thought», o «Atzlan», la revista más radical, que llegó a constituirse en núcleo del chicanismo militante. Quizá sea la obra de «Gorky» González «I am Joaquín» la expresión más clara de la desafección política y la afirmación militante de un nuevo Atzlan, basado en tradiciones y esperanzas en torno a la raza. Pero en gran medida, y a partir de mediados de los setenta, la afirmación chicana como la puertorriqueña se fue confinando progresivamente al mundo académico e intelectual, mientras que la cultura popular entraba en un sincretismo que refleja el perfil tradicional de la emigración convencional. Muchos estudiosos, y no pocas revistas y centros, se interrogan hoy sobre las ambivalencias culturales hispanas. La mayoría se agrupa en los centros de estudios hispanos, chicanos o puertorriqueños existentes ya en muchas Universidades u organizados de manera autónoma.

Controversias como las producidas por la autocrítica de un Manuel A. Machado en su libro *Listen Chicano* o *Hunger of memory. The education of Richard Rodríguez* sacuden los cimientos de la militancia hispana, generando argumentos y contraargumentos en torno al tema de la identidad actual y, sobre todo, de los horizontes futuros. E incluso minorías no hispanas, al examinar las características del hispanismo americano, las afirman como suyas, en la medida en que reflejan las condiciones de una civilización preindustrial, comunitaria. No pocos emigrantes europeos y asiáticos cuentan una historia de trazos parecidos, y a la vez que se duelen de los falsos sincretismos de la cultura urbana, reconocen en sus raíces las mismas cualidades de la vida colectiva que los hispanos presentan como suyas.

Por eso, la plataforma hispana está sirviendo para algo más que para albergar certidumbres y dudas propias. Están sirviendo para cooperar a esa interrogación sobre el futuro americano en el que andan ocupados los habitantes del imperio y a lo que dedico mi último capítulo.

## Testigos

### 1. *Manuel, el diseñador crítico*

Manuel es un chicano cincuentón que ha dado muchas vueltas por las Américas. Hijo de una espalda mojada que cruzó por Tijuana en los años treinta, se crió entre contrabandistas hasta que, por su inteligencia natural, recibió una beca para estudiar en un colegio militar. De ahí a la Universidad y a la docencia, que interrumpió bruscamente, en los años sesenta, para hacer militancia chicana. Hoy es asesor de diseño en una empresa de tejidos que tiene su central en New Jersey y sucursales en varios estados del sur y en México. Vive en New Jersey, con su segunda mujer, anglo, y dos de sus hijos.

M.—Me gusta tu texto porque es más literario que el resto de la sociología a que nos tenéis acostumbrados, pero me temo que sigue lleno de estereotipos.

S.—Como cuáles.

M.—Tú mismo dices que hay muchas clases de hispanoamericanos atendiendo a diferentes circunstancias, pero en el fondo de tu argumento central hay una contraposición hispano-anglo, que es artificial. Tan artificial es, a mi juicio, la construcción de una identidad hispana como la de una identidad anglo. Yo también creía que había características básicas en lo profundo, pero, en la práctica, lo que pasa en esta sociedad es que hay muchos modelos de vida, para jóvenes y maduros, para ricos y menos ricos. Hispanos y anglos los van asumiendo, de acuerdo a circunstancias de edad, riqueza, o simplemente de influencias externas, de azar.

S.—Pero no me puedes negar el tema básico de la herencia y la primera socialización.

M.—No niego nada. A lo que me resisto es a mantener una contraposición que es básicamente política. Cuando en los años sesenta yo hacía chicanismo, elaborábamos una identidad, La Raza, principalmente para combatir. Nos convencíamos a nosotros mismos de la importancia de las diferencias culturales que había entre los anglos y nosotros. Pero cuando volvíamos a la frialdad de la vida cotidiana, a la mayoría nos era muy difícil mantener en nuestro interior aquella certidumbre. Para mí la identidad hispana funciona como la religión o la militancia, es como un combustible pasional para conseguir determinada movilización. Y como tú mismo dices en el texto, y otros han sostenido antes, requiere una concientización para la lucha, para la protesta.

S.—¿Y qué me dices de los hispanos e hispanas que rehusan entrar en el «mainstream», que quieren vivir sólo su cultura?

M.—Para mí son casos patológicos y sólo conozco una explicación. Son los emigrantes que han llegado mayores y carecen de flexibilidad para acomodarse o los que viven en la frontera, usando América como un sitio para ganar dinero y volverse. Ambos, por una u otra razón, practican una cierta esquizofrenia, que en algún caso es superior a sus fuerzas. Yo tenía una vecina en Los Angeles que trajo a vivir con ella a su madre, proveniente del México rural. Aquella señora le cuidaba los hijos, veía televisión hispana en sus ratos libres y casi no salía a la calle. La nieta mayor estaba casi siempre enfadada con ella porque la vieja no entendía sus costumbres y mucho menos las aprobaba. Pero eso no es identidad hispana, sino una carencia, producto de la pobreza, de la mala suerte. A esa pobre señora, como a tantos, la vida le había jugado una mala pasada.

S.—¿Y la identidad anglo?

M.—Pues también es otro estereotipo. Más acentuado aún cuando los hispanos u otras minorías lo utilizan para describir a ciertas conductas de los más poderosos. Yo te diría que un tanto por ciento muy alto de los estereotipos tienen que ver con la discriminación económica. A la mano de obra barata hay que desfigurarla de alguna manera y para ello muchos empresarios sureños han contribuido a crear tanto la identidad hispana como la anglo, a fuerza de hacer barbaridades y degradar a los trabajadores. Pero hay muchos anglos, pobres y menos pobres y, sobre todo, muchas mujeres, que están tan desconsolados con los ajustes de cuenta de la sociedad americana como la minoría hispana, o la negra. Ellas subrayan el aspecto de dureza del intercambio, y llaman machismo, más o menos, a lo mismo que hispanos y negros llaman racismo.

S.—O sea, que tú crees en el imperativo de la infraestructura.

M.—Yo creo más bien en las fuerzas de la historia. En este país ha habido diferentes explotaciones de unos por otros, en esa carrera hacia la riqueza en que consiste la vida americana. A los emigrantes les toca ser explotados hasta que ellos puedan, a su vez, explotar a los siguientes, aunque yo no haría la clasificación por razas, sino por otras circunstancias, de tiempo, de lugar, de actividad económica.

M.—O sea, que para ti lo explica todo la competitividad.

M.—Casi todo. No cabe duda de que para explotar a las minorías étnicas ha habido una mayor necesidad de crear estereotipos negativos. En el caso de los negros se trataba nada menos que de justificar la esclavitud. El color de la piel era el factor más manipulable y se ha llegado a extremos inverosímiles para justificar lo que era, simple y llanamente, una cuestión de explotación laboral.

S.—Pero la diferencia es que el negro hoy ya no tiene un pasado de referencia. Sus raíces, por mucho que se afanen los antropólogos, los folkloristas, ya no están en Africa, sino en América. En cambio los hispanos tienen muy cerca, histórica y geográficamente, a sus patrias de origen.

M.—Sí, y eso les sirve principalmente para mantener el folklore, pero, en realidad, los modos de relación personal y las circunstancias del trabajo son los verdaderamente importantes. La llamada cultura hispana no tiene alternativas a la explotación. Te diría más. En el mundo económico mejicano que yo conozco las cosas son aún peores, los dueños agrícolas son más implacables que los de acá y en la industria y el comercio hay dueños, que tratan de explotarte, y trabajadores, que se aguantan y tratan de evadirse de su situación por los mismos procedimientos que aquí, sólo que aquí, el obrero está más protegido.

S.—Insisto. ¿Tú no crees que hay identidades culturales que traspasan las referencias económica?

M.—Yo no te voy a negar que las cosas que uno ha visto o hecho de pequeño no influyen en las diferencias adultas, sería estúpido negarlo. Lo que te vengo negando es su capacidad para explicar el comportamiento de los hispanos, o de los negros, o de los anglos. En América, a lo largo de dos siglos, se ha producido un proceso de homogeneización, acelerado en los últimos cincuenta años, con dos claves: una es, naturalmente, la económica, traducida en la pretensión de todo el mundo de participar en los consumos de la clase media, tal y como la define la publicidad comercial y la otra, es la uniformidad ideológica que la vida que llevamos, sus reglas, sus símbolos y, en particular, la televisión, va realizando y que le quita fuerza tanto a las peculiaridades étnicas como a cualquier otra. Los hispanos, o los asiáticos, expuestos a ese proceso doble, que además te agarra desde muy pequeño, terminan encerrando lo peculiar en lo más privado e, incluso, perdiéndolo.

S.—¿Y con qué lo sustituyen?

M.—Pues con una cultura sincrética, basada en esa gran virtud de esta tierra de no condenar nada, de permitirlo casi todo, que a la vez se compensa por la rapidez con que van y vienen las modas, las costumbres. Para darte una idea, los que estamos en el negocio textil tenemos que rompernos la cabeza para acomodarnos a la velocidad de los consumos, a esa aceleración de la vida que tanto contriubye a la impermanencia americana.

S.—O sea, que me estás definiendo una pieza de la americanización, su evanescencia.

M.—Pero yo no creo que sea americana, sino propia del desarrollo económico. Esa misma velocidad de modas y consumos la tienes ya en Japón, favorecida por el gran devorador de lo permanente, como decíamos en la Universidad, que es la televisión. Yo, a veces, pienso que las civilizaciones prósperas sólo quieren mantener una cosa, la prosperidad y ésta viene definida por la variedad de cosas que pueden hacer a la vez y la velocidad a la que pueden cambiarlas por otras. Mucho de lo que tenemos por fijo, por natural, es un fruto de la pobreza, de la impotencia.

S.—O sea, que los países tradicionales, según tú, son maestros en hacer de la necesidad virtud.

M.—Exactamente. Yo creo que los años de crecimiento y riqueza que fueron los sesenta y los setenta, desencadenaron un movimiento con base en América, que no era otra cosa que la aceleración de la vida. Y que, a pesar del frenazo de los ochenta, el movimiento es irrefrenable y describe, para mí, lo más propio de la cultura americana, si es que vas buscando un elemento común.

S.—Pero, ¿por qué hay tantos hispanos que quieren mantener, además, su cultura propia?

M.—Justamente por tener más de todo. Yo no creo que ningún hispano normal, si le dan a elegir, se quede sólo con su cultura. Lo que te dice la mayoría es que las tradiciones propias ayudan a colorear aún más su vida americana, ya de por sí bastante chillona. Es un plus, un extra, que se traduce en costumbres, en música, en comida... y en poco más. Precisamente la juventud relativa de los hispanos les hacen más firmen candidatos a la idea americana del cambio, de la sucesión de comportamientos, si no logrados, al menos deseados. Fíjate, por ejemplo, en la manera americana de viajar, de hacer turismo. No es más que la traducción externa de una comezón interior por alterar su vida rutinaria, que se desarrolla justamente cuando es posible. Viajar por viajar siempre ha sido cosa de gente rica y la prosperidad americana lo ha convertido en consumo de masas. Pero, ¿es americano?, ¿es europeo? No, es lisa y llanamente una consecuencia de la prosperidad.

S.—De modo que, en resumen, lo hispano, en lo profundo, es una manera de defenderse de la discriminación económica.

M.—Eso creo. Pero además, yo veo otra cosa y es que hay casi tantas maneras de ser hispano como individuos. Los clichés sobre las peculiaridades étnicas no toman en cuenta suficientemente la fuerza con la que los individuos se acoplan a las circunstancias, para sobrevivir y prosperar en un mundo tan duro como éste. La idea, tan extendida, de que la familia es célula protectora del individuo, funciona igual, en época de carestía, para los anglos. Hoy muchos padres anglos, por las dificultades de empleo de sus hijos, los protegen y los tienen en casa, igual que nosotros. Y las conexiones, las mafias familiares son igual de fuertes, salvo que mucho más productivas cuando el ambiente respectivo es más alto. La utilización de la familia como medio de apoyo es, para mí, universal. Lo nuevo de la prosperidad, lo nuevo de América, es que los lazos familiares son compatibles con un respeto para el individuo, desconocido, por ejemplo, en la vida rural.

S.—O sea, que la sofisticación de lo urbano influye.

M.—Sin duda. La ciudad tiene, de por sí, una fuerza unificadora. Fíjate cómo los hispanos que se sienten más débiles, o que son más pobres, buscan la protección del barrio y, en cuanto son fuertes, y pueden, lo abandonan. La ciudad, de por sí, es un gran homogeneizador, como lo es la escuela. Si hoy haces una excursión por el «Sun belt», comprobarás la fuerza con la que la civilización urbana está transformándolo todo. En mi experiencia comercial, ser rural o urbano es más importante que ser hispano o anglo.

Eran las certezas de un hombre práctico, cuyas contabilidades le sirven para algo más que para echar las cuentas de su negocio.

## 2. *Judith, la politóloga*

Judith, de origen judío, enseña ciencia política en una pequeña Universidad de Illinois. Está casada con un artista cubano, mezcla de pintor y poeta, que salió de la Cuba de Castro cuando el Mariel. Judith es una de esas conversas anglos a la hispanidad y tiene una especial predilección, dada su competencia académica, por los temas de participación política de los hispanos y las relaciones internacionales.

J.—A pesar de la unanimidad de la crítica intelectual, yo creo que, en su conjunto, la política americana hacia el sur del continente ha beneficiado a esos pueblos, a pesar de los malos modos de Washington en episodios concretos como los de Panamá y Nicaragua. Tú tienes que estudiar la invertebración de América latina desde su origen y darte cuenta de que lo que tú llamas el imperio americano no ha sido tan mala solución para unos países tan descoyuntados, tan conflictivos.

S.—Bueno. Yo puedo compartir contigo la historia triste de América latina, pero insisto en que no se entiende sin el factor exterior imperial.

J.—De todas formas no olvides que en la emigración se corrobora mi tesis positiva respecto a Norteamérica. No hay otro país que haya mostrado más generosidad con la emigración y, comparativamente, menos chauvinista. La legislación correspondiente que, no lo olvides, ha sido promulgada democráticamente, trata de conciliar los intereses de los nacionales con los de los recién llegados y la propia ley Simpson Nazzoli está bien vista por muchos grupos hispanos, incluyendo los sindicatos agrícolas.

S.—Pero la ley ha profundizado en el «status» del ciudadano de segunda clase que tienen los trabajadores temporales y que siguen ahí, prácticamente sin derechos.

J.—Bueno, ese es el reconocimiento legal de una realidad económica. La economía americana tiene empleos ocasionales, sobre todo en la agricultura, y los ocupan sureños que, por unos meses, consiguen buenos salarios. Si no, no vendrían.

S.—Pero vienen y los tratan como esclavos. El ejemplo de hoy son los más de diez mil cortadores de caña jamaicanos, que trabajan en Florida cinco meses, de sol a sol, sin derechos, encerrados en barracas y custodiados por perros policías. Un movimiento mal hecho y los deportan o les azuzan los perros.

J.—Yo no estoy defendiendo la estructura del capitalismo. Yo te digo que, en comparación, está más protegido el trabajador en Norteamérica que en América latina y que las cosas que se atreven a hacer los empresarios de México, por ejemplo, con sus obreros, no se hacen aquí o, al menos, no impunemente.

S.—Hablamos de participación política. No me dirás que el bajísimo índice de participación electoral hispana es síntoma de vertebración.

J.—Nadie puede discutir que la democracia norteamericana requiere una modificación formal para romper esa tendencia a la no participación en las elecciones, pero, de hecho, hay autores que lo interpretar en el sentido de que, como la democracia está consolidada y no hay grandes temas en discusión, muchos creen que no es necesario participar.

S.—Pero el problema es que esos muchos son casi todos pobres, negros, sobre todo, convencidos de que la política en este país está subordinada a la economía y que ni el Congreso ni el Ejecutivo van a alterar sustancialmente tal estado de cosas. Y los hispanos también lo saben, y por eso votan poco.

J.—Muchos hispanos, sobre todo los mexicoamericanos y los exiliados políticos, no se registran para votar porque no quieren cambiar su nacionalidad. Es un fenómeno típico de la primera emigración o del trabajo ocasional y fronterizo. Pero las cosas están cambiando y tanto negros como hispanos van aprendiendo que se pueden conseguir bastantes cosas a través del proceso político, sobre todo a nivel local. Y no olvidemos la tradición latina del caudillismo. Los hispanos llegan a América ocn su cultura política autoritaria, en la cual el poder es un dispensador de favores, pero no por la vía de la representación política, sino por la del clientelismo. La participación política es una asignatura democrática lenta de aprender y complicada, porque tiene condicionamientos e irregularidades que a la gente sencilla le chocan e incluso le repugnan, prefiriendo el más elemental esquema autoritario. Pero no hay otra fórmula mejor para sociedades complejas.

S.—Sin embargo, no me negarás que la vertebración política de este país es muy escasa y que los anglos han mantenido el poder, sobre todo, por negociación en la esfera privada que luego se traduce a la esfera pública. Precisamente una de las frustraciones hispanas es ver que, a pesar del reformismo de los programas políticos, las cosas no cambian porque los otros poderes, y singularmente los económicos, son tan fuertes o más que los elegidos democráticamente.

J.—Y, sin embargo, lenta pero inexorablemente, la mayoría se impone. Si no no se entenderían las leyes antitrusts, ni la legislación anticontaminante ni, por supuesto, la seguridad social.

S.—Me gustaría que me explicaras cómo ves tú la vertebración política de la minoría en cuanto tal, el hispanismo militante.

J.—El sistema americano es muy receptivo a los grupos de interés, a los «lobbies». Hay quien dice que el Congreso está pasando de ser una Cámara de representación territorial a ser un «clearing-house», una plataforma de intereses específicos. Yo no lo creo, aunque no desconozco esa faceta de negociación, trasunto del mercado económico, que tiene la política americana. En ese sentido, la minoría hispana, en la medida de su fuerza electoral y de su potencial de movilización, es ya una fuerza política. Lo que ocurre es que, como todos los grupos de presión, se trata de la gestión de cuestiones específicas, en este caso, sobre todo, de reivindicaciones, y ello no encaja demasiado en una teoría general del consenso.

S.—Los politólogos americanos os negáis con frecuencia a ver a la acción política en términos de lucha de clases, pero, para mí, la causa hispana se politiza básicamente en términos de clase. A veces hay una tendencia a ver la realidad política americana con una perspectiva homogénea, como procesos de consenso global. Yo creo, por el contrario, que es uno de los países políticamente menos vertebrados, donde los procesos políticos siguen siendo marginales y funcionales a la economía.

J.—Es tu opinión, y la de muchos, pero la considero parcial. Si te fijas, en los años sesenta, y aunque hubo una vanguardia movilizadora del cambio, protagonizada por intereses concretos, la resultante fue una negociación pública de grandes dimensiones, en la que participó todo el mundo, y que se materializó en elecciones, en leyes, en reajustes de poder local, estatal y nacional y que, sin violencias ni rupturas, dio paso a un estado de cosas distinto al anterior. Si eso no es un proceso político...

S.—Lo que yo quiero preguntarte es cómo ves tú el asociacionismo étnico, una vez que haya llegado a un cierto techo de movilización política por intereses propios.

J.—Esa es otra cuestión. Yo veo bastante dinámico, y por bastante tiempo, al hispanismo político. Lo que ocurre es que, conforme a la tradición americana, tendría que hacer pactos de diferente naturaleza, como de hecho ya está haciendo. El sector más pobre, más reivindicativo, en coalición con los negros, con los amerindios, etcétera, por ejemplo, en la propuesta demócrata de Jackson. Con grupos industriales proteccionistas, para defender la pequeña empresa, típica de hispanos, etcétera. Y, en todo caso, y desde cualquier plataforma, ganando cuotas de poder local, institucional, etcétera. Aunque en la medida en que las gane, tendrá que ir disolviéndose como tal y entrando en la gran negociación colectiva donde, a lo mejor, un cubano del sur de la Florida se encuentra políticamente enfrente de un chicano de Texas. De todas maneras, la movilización hispana en pro de derechos civiles para las clases menos pudientes está siendo ya muy importante y gana pequeñas batallas, incluso en este largo período conservador. El problema, como siempre, con los emigrantes, es conciliar la solidaridad étnica con la clasista, en un país, además, en el que la movilidad social es muy rápida, sobre todo en períodos de bienestar. El tema del idioma, del bilingüísmo, es un ejemplo típico.

S.—¿Qué opinas de las reiterada crítica hispana a las instituciones legales, especialmente al sistema judicial y al carcelario?

J.—Que tiene cada vez menos fundamento. La justicia americana tiene una larga tradición de apoyo a los menos pudientes, a las causas progresistas, mantenida incluso en la actual época conservadora. Es, sin embargo, cierto, que el mundo rural es más duro y que hay capítulos tristes de jueces, policías y carceleros, heredados de la pasada discriminación. Pero no es un problema sólo de los hispanos, sino también de los negros y, en general, de todo aquel que es distinto a ese prototipo que existe en los sectores menos ilustrados de los cuerpos represores. No puedes olvidar, por otra parte, que a ellos les corresponde la parte más desagradable de la lucha contra el delito y ahí, negros e hispanos, por su pobreza y marginación, son los eslabones últimos y más visibles del negocio del crimen. Hay mucho que hacer al respecto, pero las circunstancias generales, la acción política, escapan a la justicia cotidiana. Yo no me hago demasiadas ilusiones respecto al rápido mejoramiento de la sociedad americana en términos de justicia. Este país tiene fuerzas antagónicas muy notorias, en especial las derivadas del sistema económico, pero mi tesis es que el proceso político y el legal son mecanismos de equidad, de protección al más débil. Y luego existe esa otra faceta libertaria, tan americana, de la que se beneficia, sobre todo, la emigración educada. Este es un país que acepta el que venga un extranjero y se haga rico y hasta llegue a lo más alto en una sola generación. La cultura europea acepta peor esto y, para nosotros, América, aun con todas sus deficiencias, sigue siendo ese país de oportunidades porque lo es de las libertades. El Estado no intervencionista tiene también sus ventajas y entre ellas destaca esa presunción a favor del individuo, de la que, paradójicamente, hasta los mismos pobres terminan beneficiándose.

Interrumpimos la discusión política y Judith se dedicó, ya con su marido delante, a hacer un comentario sobre política cubana, que excede el interés del diálogo pactado para este libro. No obstante, del comentario se dedude que el interés creciente de los académicos jóvenes por las relaciones hemisféricas —América y las Américas— no disminuye, sino más bien aumenta, para beneficio de la discusión política general.

# IV. La América emergente
# Orientación bibliográfica
# y datos básicos

¿Qué papel va a representar la minoría hispana en la América que atravesará el umbral del siglo XXI? La problemática de lo hispano empieza a insinuarse en los discursos futurológicos que forman parte de la dieta literaria de nuestros días. John Naisbitt, el conocido autor de «Megatrends», declaraba recientemente a «Vista» (noviembre 85) que el futuro americano tiene un decidido color hispano: «En primer lugar, los hispanos van entrando en el mercado de empleo como consecuencia de la disminución de la natalidad anglo. Paralelamente, la sociedad en general aceptará mejor la variedad y el pluralismo. Los mercados latino y latinoamericano darán grandes oportunidades a una población como la hispana, parte de cuyas ventajas comparativas radica en su bilingüismo. Los cambios culturales van a suceder, en gran medida, en ciudades pequeñas, como Denver o Tampa, ambas con alcaldes hispanos».

La cruda fuerza de los números y la peculiaridad de la emigración hispana juegan a favor de este tipo de análisis. No puede olvidarse que la América que nosotros conocemos es el resultado de la fusión de una primera etnia anglosajona con una emigración europea de primeros de siglo, que sólo en la primera década alcanzó casi los nueve millones de nuevos americanos. Este fuerte impacto, que duró unos veinte años, ya no ha vuelto a ocurrir hasta hoy, en que la emigración hispana prácticamente lo reproduce en el mismo espacio de tiempo. Y aunque la similitud entre la cultura anglosajona y la europea es obvia, y favorece, favoreció, una simbiosis con pocos sobresaltos, la larga familiaridad sureña entre americanos y latinos está jugando ese mismo papel amortiguador de conflictos.

Caben varias aproximaciones al análisis de las corrientes de integración y desintegración, de permanencia y cambio que se están produciendo en los Estados Unidos. Lo particular de éste es acentuar el componente hispano de la América que emerge y, para ello, seguiremos una metodología sencilla. Se trata de incorporar el factor hispano a las tres o cuatro perspectivas de presente y anticipación de inmediato futuro que han aparecido en los últimos años, siguiendo las líneas clásicas de la sociología. Como referencia inmediata utilizaré uno o dos autores representativos de cada tendencia.

## I. La perspectiva clasista. Los hispanos como mano de obra barata en una sociedad capitalista

Aparentemente, es el análisis más sencillo. La idea central es que América va a seguir siendo lo que es, es decir, un país rotundamente dominado por los líderes de la economía, con una estructura social muy clasista y en la que el sistema productivo se beneficia de una mano de obra hispana que está reemplazando, en los escalones más bajos del mercado de trabajo, a los anglos, que, por una parte, ascienden laboralmente y, por otra, disminuyen relativamente. Este papel lo comparten los recién llegados hispanos con las otras minorías más o menos coetáneas, como los asiáticos y, por supuesto, con los negros, que se mantienen, estadísticamente, en su tradicional posición subordinada.

La rigidez estructural de la economía norteamericana y la funcionalidad del sistema político a ella son dos circunstancias una y otra vez subrayadas por la ciencia social crítica. La novedad de los años ochenta es doble. Resalta, por una parte, la crudeza con la que la Administración Reagan ha contribuido a subrayar los rasgos más obvios de un capitalismo que vuelve a descarnarse, después de la suavización aparente de las décadas anteriores. Y, por otra, muestra la preocupación de los representantes intelectuales del Establishment por renovar un pacto social y económico que se ha roto por esa razón y que pone en peligro la viabilidad, incluso económica, del proyecto capitalista.

La ocasión próxima de esta toma de conciencia ha sido la dislocación del sistema financiero, con el susto final del martes negro de octubre del 87.

Uno de los hombres más representativos del Establishment es Felix Rohatyn, alto ejecutivo de la firma de inversiones Lazard Freres & Co, Chairman de la Corporación de Asistencia Municipal a Nueva York y habitual asesor del Congreso. En dos artículos publicados en el «New York Review of Books» (12 de marzo y 11 de junio de 1987), Rohatyn, al analizar la crisis financiera y proponer remedios más que drásticos para conjurarla, desvela la naturaleza especulativa del presente ciclo de la economía americana y atribuye a ello, y a la inacción de la Administración, la desmoralización del mundo laboral y la creación de ese tipo de hedonista, cínico y autocomplaciente, el «yuppie», que representa el aniquilamiento de la ética de trabajo que mantenía en marcha el modelo, en su versión tradicional.

Dos son los factores, sobradamente conocidos, por otra parte, que Rohatyn subraya: la especulación financiera, a la que él llama nuevo cáncer de la economía, y la transferencia al exterior de gran parte de la planta industrial americana realizada por las multinacionales, en gran parte, para escapar a un movimiento obrero que iba perdiendo, en los años sesenta y setenta, su tradicional conformismo. El símbolo de la nueva situación, para Rohatyn, son las adquisiciones puramente especulativas de empresas, que han desviado de la inversión productiva una parte sustancial del crédito y del ahorro nacional y han contribuido a crear un falso mercado de valores, en el que los dólares nacionales y las monedas extranjeras hacen crecer las cifras de una contabilidad que tiene poco que ver con la realidad productiva de las empresas en cuestión.

El villano del drama es el mediador financiero sin escrúpulos, que tuvo en el caso de Ivan Bresky su más conocido ejemplo y que añadió una nueva figura, la del insider trader —el comerciante en secretos ocultos— a la panoplia de los malos que ensucian la epopeya del trabajo americano. Esa insistencia de Rohatyn en el comportamiento moral, en la figura del destructor de las reglas del juego, como la más antigua del vendedor de influencias, también acentuada en la Administración Reagan, no logra oscurecer la dimensión estructural, intrínsecamente vinculada a esos manejos, sin la cual éstos no serían posibles. A ella hacen referencia figuras más críticas de la ciencia social americana. Entre ellos destaca Michael Harrington, cuyo libro «La otra América» sirvió de base a los programas de bienestar de la Administración Johnson y que recientemente ha publicado otro (The new American Poverty, Penguin, 1984) sobre la América que nadie desea ver.

Harrington trata, sobre todo, los problemas de los trabajadores y de los pobres, pero comparte con la mayoría de los analistas críticos su preocupación por la redefinición contemporánea del capitalismo americano. La necesidad de una economía de guerra internacional para mantener lo peculiar americano en la división mundial del trabajo es una circunstancia ampliamente compartida. De hecho, los indicadores económicos y tecnológicos muestran, al finalizar la época Reagan, que la sustancia del liderazgo americano se basa cada vez más en mantener vigente el clima de belicosidad de la comunidad internacional porque sólo mediante la tecnología militar y sus resultados políticos mantiene Estados Unidos su ventaja comparativa. Año tras año, en la última década, la investigación científica y el desarrollo de la innovación no militar se va aposentando en ámbitos europeos y japoneses, y aunque aún es difícil separar lo militar de lo no militar, sobre todo en investigación básica, hay ya suficientes datos para arguir que las líneas de investigación que la Administración Reagan favorece —y el ejemplo clásico es la guerra en el espacio— tienen cada vez menos repercusiones civiles, favorecen los oligopolios y no la economía del mercado y repercuten escasamente en la creación de empleo.

Mientras tanto decrece notablemente la inversión en el sistema productivo convencional, que además se realiza, incluso en Estados Unidos, por un porcentaje decreciente de firmas no americanas, y se generaliza esa exportación de parte de la planta industrial a países con población más disciplinada y gobiernos más autoritarios.

Harrington se refiere una y otra vez al efecto de todo ello sobre la población trabajadora, partiendo de la modificación estructural de la población activa, que está ocurriendo en la América de los ochenta.

Es, en cierto sentido, una repetición de los tiempos de la industrialización agrícola, que dislocó la estructura poblacional y laboral, sobre todo del sur, y provocó aquella primera ola de desempleados y desposeídos que, desde 1920, y con más insistencia a partir de la depresión de los treinta, comenzaron a formar lo que Harrington llama «la gente superflua» de la economía americana.

La conciencia de esta situación crítica, que se modificó brevemente con motivo del pleno empleo bélico, produjo el New Deal y luego la Gran Sociedad. Hoy la situación se repite, con ocasión de la crisis de la industria manufacturera y la especulación financiera. La reconversión industrial provoca una nueva inundación de superfluos y son nuevamente los negros las principales víctimas.

Con frecuencia, los mentores de la tendencia conservadora proclaman la expansión creciente del empleo en términos absolutos. Lo que no dicen es que siete de cada diez de esos nuevos empleos se producen en el sector informal de la economía, en la agricultura de temporada, en el trabajo de casa y en los servicios manuales, que se caracterizan por sus bajos salarios, su inseguridad y su escasa calificación. De hecho, según cuentan los desempleados industriales que han encontrado trabajo en este sector, los nuevos salarios son un 60 por 100 de los antiguos. Y sólo gracias al trabajo de la mujer, a esa movilización de esposas y madres en busca de un segundo ingreso familiar, pueden los trabajadores no perder descaradamente el nivel de vida de las décadas anteriores.

La reconversión productiva de la América de los ochenta, con tecnología de énfasis en capital y un decidido empeño empresarial por romper la militancia obrera, está causando, según Harrington, los efectos deseados por el capital. En primer lugar, la consolidación de las industrias intensivas en mano de obra en países más disciplinados y poblados. En segundo lugar, la acentuación de las distancias entre oficios, paralela a la distancia entre clases sociales y, finalmente, y es lo que más nos atañe, la ruptura de la solidaridad laboral, con la disminución de la afiliación a las uniones de trabajadores y las luchas entre ellos, lo que Harrington llama «pobres contra pobres».

En los últimos años se ha producido una extraña y a la vez inevitable situación, que tiene tres características principales: primera, la combinación de la selectividad del sistema educativo, especialmente del universitario, con la del mercado de trabajo, concentra en manos de la mayoría anglo, con algunas incrustaciones étnicas, la mayoría de los empleos nobles, de cuello blanco, profesionales, y la propiedad de la mayoría de los negocios. La cooptación y la endogamia engendran esa peculiaridad de las sociedades clasistas, que consiste en que los hijos de estas clases dominantes, con la protección de sus familias, rehusan desempeñar los oficios menos nobles. Eso significa que gran parte de las tareas industriales y de servicio carecen de candidatos anglos y han de ser realizados por las minorías. Si a ello se añade la disminución relativa de la población anglo, se consolida una situación en la que el empleo es a la vez un mecanismo y un síntoma de división social.

Traspasar la barrera entre empleos nobles y serviles se hace entonces estadísticamente difícil, pese a las historias de éxito que cuentan las minorías. Pero ello conlleva el que la mayoría anglo dependa de éstas para la realización de esas tareas, subordinadas, pero necesarias, tanto para mantener funcionando el s istema productivo como para que el statu quo de los pudientes mantengan su calidad.

En segundo lugar, la renovación tecnológica, unida al crecimiento medio de la escolaridad, significa que un gran porcentaje de trabajos se convierten en rutinarios, capaces de ser desempeñados por cualquiera con una mínima capacidad intelectual, a la vez que la duración de los entrenamientos para esas tareas repetitivas disminuye. Ello significa un retroceso de la especialización y, por ende, del corporativismo obrero. En fábricas y oficinas cualquiera sirve para casi cualquier oficio, y ello permite una gran libertad patronal para la contratación laboral que da la oportunidad al empleador de romper militancias y solidaridades obreras y facilita el que la sustitución de unos por otros apenas tenga efectos en la producción.

La última circunstancia completa las dos primeras, y consiste en que la peculiar situación geográfica de los Estados Unidos, y en especial su frontera sur, le permite un uso casi ilimitado de mano de obra temporal con la que complementar y, eventualmente, disciplinar a la nativa.

Todo ello se fundamenta en la peculiar ideología americana de la máxima libertad de contratación, que hace incomprensibles las tesis más europeas del pacto laboral. Sólo el diseño de un mínimo Estado bienestar permite hacer más digerible la crudeza del ajuste de cuentas entre patronos y obreros.

Esta problemática es particularmente relevante para esa lucha americana entre pobres que se documenta especialmente en la belicosidad obrera contra la emigración hispana en las peripecias del sur y del sudoeste y que ha alcanzado nuevas cotas con la animosidad entre negros e hispanos en lugares concretos.

La tesis de Harrington y de otros críticos de la escena descrita es que las cosas son así en América y que van a seguir siéndolo sencillamente porque haría falta una gigantesca modificación del capital —del grande y del pequeño— para dejar de comportarse como lo hace. La importación temporal de mano de obra hispana, mientras las cosas sigan mal en América Latina, y el traslado de los centros de producción a países más disciplinados son, en último término, los recursos a los que el capital multinacional puede recurrir, para vencer a los movimientos reivindicatorios. La política de disminución de los beneficios del Estado bienestar que forma parte de la reforma Reagan, juega un papel complementario de la estrategia empresarial, asustando al trabajador y llevándole a un sometimiento mayor a las reglas del juego.

Los hispanos, en este marco, son, pues, unos trabajadores más, tan desunidos como los otros, que luchan por su supervivencia individual y que, si consiguen subir y afianzarse, lo acharán a su propio mérito o a la suerte. De ahí que, según los partidarios de esta tesis, resulta muy difícil hacer otra estimación colectiva de la etnia hispana que, en las coordenadas de ese determinismo, seguirá por mucho tiempo compartiendo con los negros los escalones más bajos de la escalera social, por muchas historias individuales de éxito que se cuenten.

Más aún, debido a las nuevas circunstancias de la emigración sureña, la pobreza americana, cuyo símbolo eran los guetos urbanos, los valles de Appalachia, se asienta hoy mayoritariamente en la frontera. Según Neewsweek (8 de junio de 1987), el valle del Río Grande Bajo es la región más pobre de los Estados Unidos. Allí malviven un cuarto de millón de hispanos, en barracas y chozas, la mitad de los cuales está sin trabajo y, quizá para compensarlo, se dedican a fabricar hijos a más velocidad que en ninguna otra zona. Como la Administración Reagan abolió los programas de asistencia médica a la zona, el índice sanitario empieza a ser comparable al del México rural y, por no tener, no tienen ni agua potable.

Como es lógico en este tipo de regiones deprimidas, las batallas entre legales e indocumentados, entre hispanos y negros, por ocupar los escasos empleos que existen, degenera en una verdadera lucha fratricida y atestigua esa falta de solidaridad que es la otra cara de la necesidad. Pero no es sólo en la frontera. Incluso en el enclave hispano de Miami, donde tantos comentaristas creen encontrar un ejemplo de laboriosidad exitosa y de apoyo étnico, muchos pequeños y grandes empresarios hispanos se dedican a explotar a sus hermanos, a cambio de darles un magro empleo. «Es, otra vez, la vieja historia de las mafias étnicas —cuenta un sindicalista del puerto—. Aquí hay cubanos con éxito oque lo deben a pagar poco a esa muchedumbre de emigrantes asustados que, a cambio de una mínima seguridad, no se atreven a buscar otro trabajo. Es el enclave de la explotación del cubano por el cubano».

En último término, la perspectiva clasista es la tradicional de la emigración pobre. Las cosas son como son y lo que cuenta es el esfuerzo individual y el dinero, en un paisaje como el americano, donde lo único realmente barato, en la economía, son los trabajadores.

## 2. La identidad política hispana

Fue la gran idea detrás de los movimientos campesinos del suroeste, el lubricante de asociacionismo latino, la apuesta de las organizaciones étnicas, como Atzlan, Lulac o la Raza.

La sustancia del argumento no puede ser más simple: nosotros, los hispanos, tenemos que apoyarnos en nuestras raíces, en nuestra tradición, para pelear en común las batallas de la América hispana, que son, sustancialmente, dos, la superación de la desigualdad política y laboral y la preservación de la identidad, simbolizada en la lengua.

Ciertamente que ningún grupo deja de necesitar una simbología, una plataforma, para mantenerse unido y conseguir sus fines. En el caso hispano, la identidad racial contiene, además, elementos de orgullo y autoestima, tan necesarios para sobrevivir en las asperas luchas de la reivindicación y la protesta.

Autores como Félix M. Padilla (Puerto Rico, Chicago, 1987) postulan la necesidad de entender la identidad hispana justamente como fórmula de movilización política, superando los subgrupos del chicanismo, etcétera, para entrar en una dinámica donde el lazo común sirva de aglutinante a una causa superior. Para Padilla la hispanidad, o la latinidad, es una definición social que se fabrica al hilo de la acción. Se articula en torno a los grandes temas que deben movilizar a los hispanos, la desigualdad política, económica, educativa, y la oposición al chauvinismo lingüístico, la defensa de la tradición.

Se trata, sobre todo, de un compromiso, de un lazo político, táctico y estratégico, que los hispanos conscientes deben asumir sobre la base de que sólo la unión hace la fuerza. Cientos de páginas, miles de discursos, avalan la tesis defendida por Padilla. Es una tesis para la movilización y, por consiguiente, tiene su tendón de aquiles en la ausencia de ella. En la medida en que el escenario americano de individualismo y competitividad penetra las filas de los hispanos, la militancia disminuye, la identidad se amortigua y se refugia en el ámbito de lo privado.

«Es nuestro sempiterno problema —comenta un militante puertorriqueño de Chicago—. Poco a poco, los hispanos vamos valorando lo que tenemos en común y lo que significa unir esa gran cantidad de energía para actuar. Pero, una y otra vez, tropezamos con la estructura social y económica de un país que premia el esfuerzo individual, premia también el asociacionismo, pero siempre que nos desborde los límites de lo establecido».

Ahí está el reto. Porque, como ha quedado suficientemente documentado, la pobreza y la discriminación no es un asunto sólo de hispanos, sino también, y sobre todo, de negros, cuya movilización étnica ha corrido, y corre, los mismos riesgos que la hispana. Y la afirmación racial no siempre sirve para las causas de la modernidad, como se comprueba en el tema del idioma que, para colmo, tiene la virtualidad de despertar el antagonismo de quienes, desde un punto de vista nacional, defienden una unidad lingüística mayor, coloreada de patriotismo, es decir, de una identidad superior.

Por ello, la pura definición étnica, la militancia racial, tiene contrapartidas graves en la América emergente. De ahí que la causa de la hispanidad esté encontrando sitio en otras perspectivas del inmediato futuro que, como la que analizo a continuación, tiene unas coordenadas más anchas.

## 3. Las nueve américas o a la diversidad por la geografía

En 1981 el periodista Joel Garrau publicó un libro llamado «Las nueve naciones de Norteamérica» (Hougthon Mifflin, editores), que, de entonces acá, ha hecho considerable fortuna. Su tesis, como se desprende del título, es que no tres sino nueve naciones comprenden ese espacio que va desde Canadá, en el norte, hasta América central, en el sur, y que va siendo hora de extraer las consecuencias. Garreau aduce que la historia reciente, los intereses en presencia y, sobre todo, las alianzas entre estos intereses, están cambiando la estructura federal de los tres países citados, creando solidaridades regionales que han trastocado de hecho las fronteras estatales para definir un nuevo mapa, que Garreau diseña, acota y hasta rebautiza. Las nueve naciones, de arriba abajo y de este a oeste, son: Quebec, The Empty Quarter, New England, The Foundry, The Breadbasket, Ecotopia, Dixie, MexoAmérica y Las Islas, o The Islands. El lector hallará ilustrativas las tesis, según las cuales se están produciendo reagrupamientos demográficos, políticos y económicos y estará más o menos de acuerdo con unos cambios que el autor considera sustanciales y que tienen, o deberían tener, tres consecuencias.

La tendencia de cada nación, en la medida de su autosuficiencia y autoconvicción, a impedir que sea gobernada desde fuera, por quienes no comparten ni los intereses ni los valores locales. La capacidad creciente de resolver sus problemas, en la medida de la dispersión paulatina de recursos y oportunidades que estamos presenciando y las diferencias ideológicas o de interés que se van consolidando entre ellas y que afectan a temas tan variados como el aborto, el sindicalismo o la energía.

Precisamente, Garreau utiliza el ejemplo de la energía, y en especial el de la incapacidad del Gobierno federal para llevar a cabo un programa omnicomprensivo al respecto, para probar lo distintos que son los pobladores de Quebec, con su abundante potencial hidroeléctrico, de los de New England, superdependiente e importadora neta. O Dixie, llena de plantas nucleares, frente a Ecotopia, profundamente opuesta a ellas. Pero hay más. La nueva geografía atestigua los traslados demográficos, cuya versión política es la pérdida de representación electoral en New England, The Foundry y The Breadbasket y la correlativa ganancia en Dixie, MexoAmérica o The Islands.

En todas las diferencias destaca la frustración regional acerca de la manera federal de resolver problemas con planteamientos variados, generadora de una animosidad que recuerda los viejos tiempos de la hostilidad Norte-Sur.

Garreau cree que la mayor sofisticación de las nuevas generaciones irá profundizando en esa línea de la diversidad y que mientras una América mirará al Pacífico, otra al Atlántico y otra al Caribe, las zonas interiores encontrarán autosuficiencias y perspectivas autónomas que favorecerán el pluralismo como la mejor riqueza americana.

No es difícil extraer las consecuencias para los hispanos. Si la perspectiva clasista los ubica estadísticamente en los escalones bajos de la escalera social americana, por la que subirán sus hijos, aupados por sus méritos y suerte, y eventualmente porla concientización política, la perspectiva de dispersión geográfica encuentra un espacio natural de mestizaje y predominio en dos zonas, MexoAmérica y Las Islas, de Garreau.

En una, la porosidad y peculiaridad de la frontera y las relaciones del flanco sur del Imperio, componen un escenario que es, y puede serlo más, una nación nueva abierta al Pacífico, con una mezcla de alta tecnología y agricultura intensiva en mano de obra, con un colorido fruto del encuentro de tres etnias, blanca, hispana y asiática, y con una sofisticación cultural que puede convertirse en la zona experimental de un modo distinto de entender la convivencia. El suroeste significa mucho para el mito americano, pero aún lo es más para la utopía mundial que quiere establecer Californias en Europa y combinar pasado, presente y futuro en aventuras que van desde el conservadurismo al «avant garde». MexoAmérica, para Garreau y para otros tantos, puede ser un punto de encuentro de la tolerancia y el pacifismo universales y una fórmula de hacer viable esa transferencia Norte-Sur de dólares y tecnología, que el sur devuelve en humanidad, en ética y en estética.

El contrapunto a MexoAmérica, y segundo escenario hispano, es, por supuesto, The Islands, cuya capital, Miami, se convertirá en el epicentro de las aventuras comerciales de América Latina, una vez que al Imperio se le olviden las petulancias y las prepotencias, y se concentre en esa vieja virtud americana de ganar dinero y hacerlo ganar a los demás. La feliz ubicación en la zona de aquella clase media y profesional cubana constituye, una vez que sus descendientes se olviden del exilio, la semilla de una floración de intereses en el más viejo estilo del cabotaje caribeño, que cambiará la suerte y la economía de la zona.

Los hispanos, en este esquema, van a ir abandonando progresivamente los fríos industriales del nordeste, y lo prueba la reciente radicación de puertorriqueños fuera de la costa este, para concentrarse en esas dos naciones de la nueva América y encontrar así un destino y unas perspectivas más ajustadas a sus tradiciones.

La tesis de Garreau gusta tanto a conservadores como a progresistas. A los primeros les alegra ver en blanco y negro la posibilidad de elegir, para ellos y para sus hijos, el tipo de escenario americano más acorde con su ideología. A los segundos les interesa romper el monolitismo imperial, que tantas veces ha encasillado la energía americana en aventuras monodimensionales y, con frecuencia, humillantes. Para unos y para otros representa un capítulo más de esa historia de la diversidad americana que estaba siendo peligrosamente alterada por uniformismos tecnológicos y políticos. Al fin y al cabo la idea federal puede ser utilizada de formas distintas y ésta no es sino una de ellas.

## 4. El cambio

Es un paso más. Americanos de muy diversa procedencia y extracción están disconformes con lo que está pasando en su país, y esperan que el futuro sea distinto. No se trata ya solamente, como desean, desde diferentes perspectivas, Rohatyn y Harrington, de romper el ciclo perverso de un capitalismo cerrado en sí mismo y generador de tensiones internacionales, y, para colmo, ineficaces, sino también de encontrar una fórmula nueva de coexistencia doméstica que sobrepase los guarismos de la economía y coincida con el fin de la polaridad entre los superpoderes, rescatando las dimensiones más pacíficas de una América que tendrá que compartir con más centros de poder las orientaciones para enhebrar el siglo XX con el siglo XXI.

Docenas de libros procedentes de personas e instituciones protagonizan esa visión crítica del inmediato pasado y escudriñadora del inmediato futuro, desde diferentes perspectivas, unas más duras, otras más blandas. En unas predomina el análisis, la extrapolación e interpretación de los datos. Otras se inclinan por la profecía, la expresión de deseos y hasta el sermón. Empezaremos por otro periodista, Richard Louv, cuyo libro «América II» (Penguin, 1985) es una mezcla de análisis, entrevistas y estadísticas, que intenta definir la América de los años noventa y posteriores.

Su tesis inicial, que se acomoda bastante a los grandes diseños de futurólogos como Bell, Munford o Naisbitt, es la coexistencia actual de dos Américas, una en declive y otra en marcha. La América en declive, o América I, es, no hay que decirlo, la América industrial y urbana de la postguerra, la América de las grandes ciudades, de los sindicatos, del comercio de exportación, de los trenes y el Estado bienestar. Es también la América del hogar protegido por un modelo de maternidad, que los «baby boomers» —los nacidos en los veinte años posteriores a la guerra— no han sabido mantener. La América I está decayendo por innumerables razones: por la crisis de ese modelo industrial, exportado a países menos desarrollados, por las nuevas tecnologías, que dejan en la calle a una avalancha de inempleables, por los conflictos sociales correspondientes, por los restos de una contracultural, algunos de cuyos elementos, como el feminismo, no ha podido soldarse con la cultura anterior.

América II es el resultado de una masiva inversión pública y privada en el sur y en el oeste, empezando por el Interstate Highway System, que promovió Eisenhower a requerimientos del lobby petrolero y automovilístico. Nuevas industrias, centradas en la electrónica y en la información, produjeron una emigración laboral de calidad, favorecida por esa otra obsesión de los que querían abandonar las ciudades e iniciar una nueva vida, en la mejor tradición americana. América II es también el escenario del narcisismo, especialmente juvenil, en el que iban a brotar los yuppies de hoy, y que representa una explosión del individualismo con el que tan cómodamente transitan por el neodarwinismo monetarista de nuestros días.

América I y II son fenómenos contradictorios, pero también complementarios. El espíritu del sur y del oeste empresarial, autosuficiente, autocomplaciente, vuelve al norte y al este para remodelar la industria y las ciudades y una cierta nostalgia de los valores de la solidaridad urbana sacude las soledades de los condominios y los «malls» de la nueva estructura residencial sureña en la que los ricos, y sobre todo los muy ricos, han organizado gobiernos paralelos, policías autónomas y un sistema de seguridad para ahuyentar al forastero y al vagabundo.

Richard Louv se ejercita, una y otra vez, en mostrar las diferencias entre los dos modelos y las pone de relieve tanto en el trabajo como en el ocio, en los modos de habitación y comunicación, en las estructuras de propiedad y enriquecimiento y, por supuesto, en la vida cotidiana.

América II era inevitable, tal como se estaban poniendo las cosas en América I, pero en los apenas veinte años de su vigencia se han descubierto sus agujeros y sus carencias y hay una nueva generación de científicos sociales, políticos y moralistas que quieren modificarla. Se trata, en opininon de Louv y tantos otros, de superar el nuevo clasismo que se ha edificado sobre las cenizas del viejo y que lleva camino de crear una inversión contemporánea de la era de la Depresión. Los ricos son cada vez más ricos, la clase media se encoge y la pobreza se expande. En vez de vallas protectoras, los pudientes deben edificar puentes de solidaridad. América, en una palabra, debe cesar en su privatización de responsabilidades políticas o aceptar el convertirse en un escenario permanente de confrontación, donde las nuevas clases menesterosas, los negros, los hispanos, jóvenes y viejos, desclasados, se dediquen a hacer la vida imposible a los pudientes. Se trata de revitalizar las ciudades, de reentrenar a los trabajadores inhábiles, de crear empleo para los jóvenes del gueto y de buscar una tercera vía que se parece vagamente a América II, pero que tiene que evitar sus carencias. Sin ella, las minorías, y en particular los negros y los hispanos, seguirán sin sentirse parte del sueño americano y, al comprobarlo, incrementarán un antagonismo que será más conflictivo aun que aquella ola de violencia que sacudió las ciudades cuando América I se colapsó.

Un prestigioso antropólogo, Marvin Harris, dejando de lado momentáneamente sus estudios históricos, se unió, en 1981, a la fila de los analistas críticos de la escecna contemporánea, con su «América now: The anthropology of a changing culture» (Simon Schuster).

Harris se hace una serie de preguntas, la mayoría de las cuales tienen que ver con las decepciones de la gente común y adulta. Harris se duele con ellos de la falta de calidad de la vida, de las deficiencias en los productos y en los servicios, del declive de la seguridad ciudadana, de la nueva pobreza. La salmodia es una mezcla de nostalgia por los tiempos pasados con análisis causales.

Harris cree firmemente que todos los males provienen de esa América crecientemente burocratizada y oligopolizada que surgió de la segunda guerra mundial, más orientada hacia las finanzas y a la información que a la producción de bienes. La economía, que era descentralizada, individualista, de libre empresa y preferentemente industrial, se ha transformado en centralizada, burocrática y preferentemente de servicios. A Harris le obsesionan los oligopolios, el gigantismo corporativo que es el hermano privado de la burocracia estatal, con la que se alió durante la guerra, y su mejor amigo. Entre ambos han asfixiado a la América preexistente. Y es que a medida que la producción se automatiza, se abarata, las burocracias públicas y privadas se convierten en máquinas de gastar, de dilapidar. Su gran sintonía, su gran corrosivo, es la inflación. Harris achaca la inflación a ese gran fenómeno cultural de la entrada de la mujer casada en el mercado de trabajo, por la dificultad de que con el sueldo del varón se puedan costear todos los gastos domésticos. Las mujeres invaden por millones el sistema productivo, conformándose generalmente con los peores trabajos y las peores recompensas pero, como efecto adicional, expulsan de ellos a los negros, que ya habían sufrido mayoritariamente los efectos del paro estructural causado por la automatización. Ambas circunstancias, hogares vacíos y discriminación racial, producen el desempleo rampante en las calles y explican las tensiones, los conflictos, hoy existentes con su parafernalia de crimen, drogadicción y hasta de la difusión de extraños cultos religiosos, y su reacción conservadora, el fundamentalismo.

Harris persigue a grandes zancadas dialécticas las idas y venidas de lo que él llama las dos ciencias lúgubres, la economía y la ecología. Si la primera es reduccionista, por su obsesión unidimensional, la segunda lo es aún más por su rígido determinismo. Lo que hace falta, y aquí empiezan las recetas, es desatar, dejar las manos libres a la gente corriente, doblemente maniatada por el gigantismo empresarial y la burocracia pública. Harris no predica el capitalismo sin restricciones. De hecho, su crítica principal al sistema se dirige, como la de tantos otros, contra el complejo militar industrial, los gastos bélicos, la política de confrontación internacional, que han dirigido las mentes y las energías del país a un callejón sin salida. La receta de Harris es la descentralización, favorecida hoy por tecnologías energéticas e informativas, y que está en la mejor tradición americana. La descentralización, reconoce Harris, va contra la inercia del gigantismo americano, pero es su única alternativa viable. La democracia municipal, la potenciación de la autosuficiencia, el pragmatismo individual, las solidaridades ad hoc, representan un «continuum» con la tradición que, para Harris, fue quebrada por el gigantismo bélico y postbélico, por una aventura político mercantil en el exterior, que ha sido la gran culpable de los males del país.

Harris no tiene suficiente experiencia en el dominio económico y, por ello, desconoce la trabazón financiera y tecnológica internacional de la que Washington es hoy sólo uno de sus varios focos. Su búsqueda de futuros descentralizados se inserta, pues, en una corriente utópica que tendría que encararse, sobre todo, con la fuerza de esos conglomerados multinacionales. Y está por ver quién va a imponer el futuro a quien. El análisis de Harris termina siendo, como tantos otros, un acto de fe en la capacidad humana de rebelarse contra la hostilidad del medio ambiente, pero su problema es que hay ya tantos cómplices, entusiasta o resignados, como resueltos críticos del presente estado de cosas.

La crítica a la baja calidad de la vida americana tiene un capítulo menos estructural. Hay autores que se fijan más en las consecuencias cotidianas de la privatización política y económica. Una y otra vez, libros revistas y periódicos, además de emisiones de radio y televisión, se quejan del abandono de lo público, comprobable tanto por el mal estado de carreteras, puentes y servicios comunes, como por las prioridades de gasto público y privado.

Aquel libro de los años sesenta «The greening of América», pronosticaba un reajuste de la inversión colectiva y un nuevo consenso sobre metas de enriquecimiento cívico y moral, entre las que tenía un lugar destacado la estética colectiva. Porque en el subconsciente de la mayoría anglo hay como una especie de mala conciencia por los efectos visibles de una civilización que marca demasiado visiblemente las diferencias sociales —guetos urbanos frente a urbanizaciones de lujo— y está dominada por las barreras y las aberraciones del dinero.

Lewis H. Lapham, editor de la revista «Harpers», ha explorado, en su reciente libro, «Money and class in America» (1987), las consecuencias sociales de ese crecimiento de nuevos ricos que se produce en los años ochenta. Lapham conoce bien a sus clientelas y cree que el resto de los americanos, en su gran mayoría, no desean que cambie este estado de cosas, sino sumarse a los detentadores de la riqueza. «Es justo decir que el presente ardor de la fe americana en el dinero sobrepasa fácilmente el grado de intensidad logrado por cualquier sociedad en cualquier tiempo», escribe Lapham, quien piensa que no es el dinero en sí mismo el que causa el problema, sino más bien el uso del dinero como un ritual votivo y un ornamento pagano.

La jeremiada de Lapham se dirige especialmente contra el mal gusto y el derroche de quienes deciden sobre la estética colectiva.

La extravagancia de los ricos no es especialmente americana, ni tampoco, todo hay que decirlo, su desprecio por la suerte que corren sus conciudadanos menos afortunados. La crítica a las costumbres del rico americano es probablemente la versión anecdótica de la crítica al Imperio del que forman parte, algo de lo que no se libraron en su día los españoles, los ingleses y los franceses. De hecho, las diatribas más furibundas provienen de su propia «intelligentsia» y no hay que hacer mucha memoria para invocar nombres de americanos ilustres desafectados, intelectual o moralmente, de la cultura dominante.

Un libro que ha hecho fortuna en los últimos tiempos es «Trivializing America», de Norman Corwin (Lyle Stuart Inc., 1986), que se refiere al aspecto estético del declive americano.

El proceso de trivialización, para Corwin, es una mezcla de ausencias y de presencias. Ausencia de estatura moral y estilo y excesiva presencia de consumos extravagantes y cinismos en una sociedad cuya clase dirigente ha impuesto un modo de ocupar el tiempo libre que, generalizado, conduce a la banalidad. Corwin ve trivialización en la educación y en la política, en la religión y en las relaciones personales y, sobre todo, en esa gran industria del entretenimiento, cuya tendencia a tratar al pueblo americano como a niños pequeños está teniendo un efecto demoledor. Es la generalización de lo que Larsch llamó la cultura del narcisismo.

El villano del drama es, sin duda, la televisión, y aquí Corwin es complementado por autores como Halberstam, quien en su «The powers that be» (Dell, 1979) explica la historia de los mass-media, que es bastante una historia de horrores. El modo como las grandes cadenas se fueron sometiendo, simultánea y concertadamente, a los dictados del beneficio empresarial y a los medidores de audiencia masiva, explica la invasión del mal gusto y la trivialidad en un quehacer que se fue transformando, de informar a entretener y de entretener a unos pocos a entretener a las masas.

Airados periodistas, celosos editorialistas, cuentan una y otra vez la subordinación de espacios y energías al dictado de la publicidad que, en busca del público comprador, fuerza a las empresas a mantenerse siempre al nivel más común, más bajo, de gustos y preferencias de su audiencia.

El libro «Amusing us to death», de Neil Postman, prosigue en la interpretación del fenómeno y así, entre unos y otros, nos explican lo que Corwin llama el triunfo de la mediocridad.

Es posible que traspasar, como hace Corwin, los imperativos y los condicionantes de la televisión a otros escenarios de la vida americana sea exagerado. No hay que olvidar que se trata del ataque ilustrado de un profesor universitario, contra lo que él considera la barbarie de los nuevos medios de comunicación de masas, que están reemplazando a las artes de la alta cultura en el consumo popular. Su diatriba es contemporánea de la de los críticos de la calidad de la educación a la que atribuyen las mismas deletereas consecuencias a la entronización de la televisión como medida de la estética americana.

Hay que reconocer que la tentación de examinar la cotidianidad del país más importante del mundo desde una perspectiva ética y estética se hace irresistible para quienes se sienten colonizados por él. En este sentido, la crítica a la arquitectura y decoración de plásticos y neón, a la alimentación de hamburguesas y coca-colas y a los seriales de televisión «made in trivia», pueden constituir un reduccionismo fabricado para aliviar el sometimiento al más fuerte. Docenas de intelectuales europeos, por elegir al ámbito más sofisticado de la crítica intercultural, ejercen su diatriba contra la vulgaridad y la puerilidad costumbrista de nuestros, por otra parte, eficaces señores.

Pero lo peculiar del caso y lo que, en último término, es más de destacar y de admirar, es que, en estos últimos años, la acusación es principalmente una autoacusación que habitualmente lleva consigo una propuesta regeneracionista.

Hay que reconocer que la vulgaridad, el mal gusto, es la otra cara del bienestar masivo. Por primera vez en la historia, millones de personas tienen capacidad de consumir y no siempre la acomodan a los gustos de las elites. En los Estados Unidos hay muchos nuevos millonarios, pero hay también muchas nuevas arribadas al bienestar desde la pobreza. Y no se puede pedir a una persona que, al mismo tiempo que da sus primeros pasos en la comodidad, se ajuste a la estética de los que llevan tres o cuatro generaciones cultivando sus gustos, sus aficiones.

La América más visible, la de las exuberantes clientelas de Disneylandia y la barbacoa, de los vestidos chillones y los deportes violentos, no es tan sintomática como sus críticos tienden a creer. Las gentes que han gastado tiempo en recorrer el Continente dan fe de que frente a las fuerzas uniformistas de la vulgaridad hay otras que defienden y aceptan la variedad, y no solamente en las modas.

La riqueza de un sistema educativo que, con todos sus defectos, permite conseguir un porcentaje aún no igualdado de graduados universitarios, sigue siendo un potencial de creatividad y sofisticación que sirve de contrapunto y levadura para la masa de los meros buscadores de dinero y placeres al mínimo nivel ciudadano.

Es justamente de esa diversidad de donde están saliendo las mayores iniciativas de cambio y en la que se apoyan quienes, agoreros o entusiastas, pronostican que la década de los noventa va a presenciar un cambio de signo, una alternativa a la crudeza y a la unidimensionalidad de los ochenta. Parece que, después de las crisis y la autorreflexión de los sesenta y setenta, el país necesitaba una década conservadora, individualista y narcisista. Vencida ésta, la presión de las circunstancias y una nueva conciencia puede que lleven al país a otro consenso, donde los valores de la solidaridad, la comprensión, sean compañeros de la audacia empresarial y la afirmación de la supremacía.

Este regeneracionismo, que en último término descansa en la tradición puritana de la primera emigración, tiene como fulminante otra virtud muy americana, cual es la capacidad de inventarse el futuro, prerrogativa limitada a los pueblos cuya fundación descansa más en un acto de voluntad colectiva, en un proceso de adhesión individual a unas metas, que en la inercia de la historia.

Cuando se celebró, en 1987, el bicentenario de la Constitución, una multitud de analistas subrayaron ese espíritu fundacional, el voluntarismo de una colectividad que ha tenido el acierto, o la fortuna, de ser capaz de establecer la naturaleza de la aventura común.

Esa es, en parte, la atracción que el Nuevo Continente ofrece a los pobladores del Antiguo y el estímulo que hace brillar los ojos de los que, año tras año, firman su contrato de adhesión con el país, a través de la emigración.

Precisamente, esa emigración, y especialmente la hispana, es la que, a juicio de algunos autores, permite garantizar la diversidad, refrenar la unidimensionalidad de la mayoría.

Manuel Ramírez, en su «Psychology of the Americas» (Pergamon Press, 1983), presenta la perspectiva mestiza como definición de un nuevo acercamiento a la realidad en la que está la clave del cambio. Para Ramírez, hemos estado dominados hasta ahora por una consideración europea de la personalidad que se manifiesta, sobre todo, en la teoría de los valores y en el modo de enfrentarse con la salud mental. La perspectiva europea es un subproducto de acontecimientos ocurridos en el Viejo Mundo, como la revolución industrial, el laicismo político y, sobre todo, el imperialismo colonial, que sentaron las bases para elaborar una peculiar teoría de la personalidad y las razas, que sirve, a su vez, para fundamentar culturalmente su dominio sobre los pueblos colonizados. La perspectiva europea hace sinónimo desarrollo tecnológico y desarrollo individual, identifica el modo europeo del cristianismo con la civilización y considera que ciertos pueblos son genética y biológicamente superior a otros y, por ende, a sus culturas.

La perspectiva mestiza nació en los viajes y conquistas de la naturaleza del Nuevo Mundo se aprovechó de la mezcla de sangres allí ocurrida, con la correlativa amalgama ideológica, y se perfiló al decidir los pueblos americanos su separación de Europa.

La perspectiva mestiza insiste en que la sabiduría es un resultado de enfrentarse con los reto vitales y que, por tanto, todo hombre, toda mujer, todo grupo, tiene un algo peculiar. La idea básica es que la relación entre el hombre y el mundo es abierta y que la armonía entre la persona y su entorno, la perspectiva ecológica, es la mejor guía del desarrollo de las civilizaciones. La aceptación de la diversidad y la multiplicidad de experiencias hacen a la cultura mestiza capaz de una gran flexibilidad, que niega la unidimensionalidad y las supuestas superioridades reclamadas por unos u otros.

El contraste es obvio y para Ramírez, psicólogo al fin y al cabo, se refleja, sobre todo, en los modos de practicar la psicología clínica. La perspectiva europea subraya la especialización, la compartimentación, la intelectualización. La perspectiva mestiza, en cambio, favorece una psicología interdisciplinar, synergética y unitaria, y prefiere a los generalistas —el pensador latino— sobre los especialistas. Ramírez insiste una y otra vez en el planteamiento ecológico, holístico, de la cultura mestiza, como punto de partida para salir de los callejones sin salida y de las incertidumbres de esta última etapa de la cultura de las Américas, caracterizada por la prepotencia de la mayoría anglo, en su papel de heredera de la vieja cultura hegemónica europea.

Sin la perspectiva mestiza, según Ramírez, no se pueden encontrar opciones válidas a la asfixia tecnológica en que consiste la americanización como última etapa de la modernización occidental. La perspectiva mestiza es lo suficientemente fecunda como para servir, no sólo para la presente crisis de las Américas, sino también para dar alguna luz a los problemas existentes en otras partes del mundo.

El optimismo es un contrapunto del pesimismo de los autores anteriormente citados, siquiera sea para compensar los malos augurios de los analistas del declive del Imperio. A favor de sus tesis tiene la fuerza estadística con que la morenez sobrepasa a la blancura a lo largo de toda la demografía de las América. La fertilidad hispana, que hoy se desborda hacia el norte, es un movimiento de compensación a la antigua ruta colonizadora, que iba poblando el sur de asentamientos blancos. El mestizaje es su resultado y en cuanto asumido como cultura propia, distante de la vieja conexión europea, puede ofrecer una esperanza distinta a la integración hispana en una América plural que, esta vez sí, se siente cómoda en la mezcla, en la diversidad, y no aspira a continuar manteniendo la dominación cultural de los anglos, herederos de las tradiciones y la prepotencia de los colonos europeos.

Como todos los acontecimientos están hoy tan concertados, puede decirse que una buena razón para la paulatina aceptación del mestizaje es la disminución de la preponderancia americana en asuntos internacionales, la suavización de la dialéctica imperial —este contra oeste— y su paulatina sustitución por una negociación norte-sur, a escala mundial, en la que el mestizaje pueda ser, además de un hecho demográfico, una estrategia de concertación y solidaridad en vez de, como hasta ahora, una razón más para los neocolonialismos de diverso signo.

## Testigos

### 1. *William, el futurólogo*

William, L., comunicólogo y experto en sistemas, cultiva, a sus cincuenta años largos, con asiduidad y destreza, las técnicas de extrapolación y predicción, al servicio de un variado número de clientelas. Su oficio, extendido en una economía que tiene un trozo creciente de mercado de futuros, lo mismo le obliga a preveer los hábitos alimenticios de las nuevas generaciones que a estudiar la tendencias del mercado de empleo industrial o a especular sobre los riesgos financieros de una eventual conflagración en el Oriente Medio. William es un consultor independiente que tiene su despacho en Nueva York, y accedió a discutir durante un par de sesiones las, a su juicio, más abstrusas cuestiones que yo le proponía.

W.—Porque nosotros, contrariamente a lo que piensan algunos, hacemos nuestros cálculos muy pegados al terreno, usando la imaginación principalmente para enlazar datos.

S.—Pero no me negarás quue los grandes nombres, Herman Kahn, John Naisbittx, Alvin Toffler, son casi profetas y utilizan los datos para reforzar sus construcciones dosctrinales, teñidas, a mi juicio, de una ideología claramente favorable al mantenimiento del statu quo.

W.—Bueno, esas figuras han llegado a serlo no tanto por cultivar la predicción científica cuanto por su habilidad como ensayistas. El propio Kahn, que dirigía el Hudson Institute al servicio del Establishment militar industrial, dejó de hacerlo para convertirse casi en un autor de ciencia-ficción. Y es que el público americano acepta, como género literario, la profecía sociológica como un tipo de lectura que, si está bien escrita, satisface expectativas distintas a la mera extrapolación científica.

S.—¿Un poco como una utopía de segunda clase?

W.—Algo así. No hay que olvidar que los americanos, aunque yo creo que también todos los pueblos que pasan la segunda revolución industrial, ya no apetecen tanto la continuidad, sino que están interesados en una cierta cantidad de cambio controlado. Por ello se aficionan a la literatura prospectiva, que no es una alternativa fantástica a la inexorabilidad, sino una exploración imaginativa de escenarios posibles, lo que les ayuda a hacer, al menos intelectualmente, una opción tendencial.

S.—¿No es esto también un tributo a la mayor longevidad?

W.—En cierto sentido. Los hombres duramos más que antes y deseamos presenciar, o incluso protagonizar, cosas nuevas. Por otra parte, ciertas tendencias, ciertos arreglos políticos y sociales, como el pacto de reconstrucción postbélica, tienen una duración limitada y requieren la planificación de alternativas. Incluso la popularización de la idea de los ciclos económicos, con sus continuidades y discontinuidades, premia la existencia de literatura de anticipación.

S.—¿Hay alguna regla de oro de la predicción?

W.—Como es natural, cuantas más variables tengas en cuenta y más corto, reducido y cercano sea el período que te interesa predecir, menos riesgos tienes de equivocarte. Aun así, en el oficio hay recuerdos de fallos clamorosos relacionados, sobre todo, con estrategias comerciales. Ya es un caso de libro la renuencia de Detroit a fabricar coches pequeños a requerimientos de un estudio que se hizo en los años sesenta y que preveía la crisis energética, la disminución de la familia, la saturación vial. Detroit rehusó, apostando a la tradición americana del coche grande y el resultado es ese trozo de mercado dominado por el coche japonés.

S.—¿Y elevándonos a cotas más altas de predicción?

W.—Yo sé que tú quieres que entremos en la futurología de tendencias para el cambio de siglo, que es lo que está de moda y que yo considero un puro negocio editorial, apostando al milenarismo popular. Cosas como «en el umbral del siglo XXI». Pero la mayoría de las organizaciones que gastan dinero en predicción, salvo justamente las que venden milenarismo, no están interesadas en lo global a más de diez años de plazo. Hay, sin duda, esfuerzos, como el del Club de Roma, que van por ahí, pero son más bien documentos políticos para influir en los gobiernos, con su cuota de futurología.

S.—Sin embargo, la idea de los límites del crecimiento, que propuso el club, se ha impuesto bastante.

W.—No lo creas. El éxito de la propaganda republicana cuando elegimos a Reagan fue precisamente volver a encandilar al público con la idea de riqueza, de aventura sin límites, como contrapartida a las recetas de sobriedad y contención anteriores. Será muy difícil convencer a las mayorías de que la aventura americana tiene límites intrínsecos porque, desde su fundación, en esta república hemos apostado por la abundancia, como superación de la pobreza del Viejo Mundo. Es uno de los continuos filosóficos de la convivencia americana.

S.—Sin embargo, los límites del crecimiento tienen también su versión americana, como es el descenso de la natalidad. No me negarás que es un repudio a la filosofía de la abundancia.

W.—Yo te diría que más bien es una consecuencia de ella. Las nuevas parejas, que quieren disfrutar de la vida, se dan cuenta de que su inversión en el futuro, el tener y cuidar hijos, obstaculiza su inversión en el presente. Y no es exclusivo de los anglos. A medida que las minorías entran en la clase media, los negros, los hispanos, los asiáticos, disminuye también su natalidad. Hay explicaciones paralelas. En la cultura agrícola, tener hijos era una inversión laboral y de seguridad para la vejez. En la industrial y de servicios es una mera satisfacción psicológica, cuya contrapartida económica, de esfuerzo, hace medir a las parejas el cuanto de fertilidad. Sin olvidar, claro está, el mayor control subjetivo al alcance de las nuevas generaciones.

S.—¿Qué más cosas generales y tendenciales puedes decir sobre los hispanos?

W.—Pocas. Yo me atengo a un principio hermenéutico, que llamo la polaridad americana. Significa que América es, de un lado, el lugar en la historia y en el presente, donde el dinero, la tenencia de dinero, explica más cosas en términos absolutos. Y de otra, en virtud de esa carencia de homogeneidad ideológica tan propia de este país, el sitio donde existe mayor fragmentación de tendencias. Tú puedes interpretar comportamientos personales y colectivos, de grupos grandes y pequeños, siguiendo la clave del interés, del enriquecimiento monetario a corto plazo. Pero, a la vez, puedes descubrir discontinuidades casi inexplicables en la vida de las personas y de los grupos. Y es que se trata de un país muy grande y sin la trabazón social europea.

Respecto a los hispanos, hay que considerar un factor influyente, y es el repliegue de la preocupación americana al escenario doméstico, con dos connotaciones claramente hispanas: la obsesión gubernamental con el sur del hemisferio por la penetración del comunismo criollo y el tráfico de drogas. Y el crecimiento súbito de la emigración sureña debida a la dislocación económica de sus países y a la existencia de empleos en el norte, abandonados por una mayoría anglo decreciente relativamente y poco amiga de los trabajos duros.

Esas son las coordenadas y dentro de ellas caben varias tendencias. La escalada clasista, el que individuos y familias hispanas asciendan socialmente, conducirá a su práctica homologación con el «mainstream» quedando, si quieres, ese remanente cultural de carácter privado, que, por otra parte, tienen todavía tantos irlandeses, tantos italianos. Yo no veo, a corto plazo, una solidaridad militante, ni siquiera con alianzas, que vaya a alterar sustancialmente el consenso sobre las formas de ser rico y pobre. Entre otras razones, poque cuando las cosas se han puesto serias se han creado aparatos de protección a los pobres, el New Deal, la Great Society, para la contención del cambio brusco.

S.—Me estás repitiendo el mensaje funcionalista, que no hay alternativa, que el sistema se reconduce a sí mismo y resuelve sus contradicciones por consenso relativo. ¿Servirá eso igual si crece la desigualdad y a la vez las minorías más desposeídas?

W.—Este es el terreno en que les gusta moverse a los futurólogos radicales y apocalípticos. Yo ahí no estoy cómodo, entre otras razones porque creo que los líderes del Establishment tienen calculadas muy bien las teclas que hay que tocar cuando se acerca el conflicto, como se vio en octubre del 87, y confían además en ese consenso americano sobre la ascensión individual y meritocrática a la abundancia, en una sociedad cuya estructura, te repito, es sustancialmente fragmentaria.

S.—Luego implícitamente aceptas que la oligarquía de los poderosos tiene los resortes suficientes para reconducir las tensiones.

W.—Sí, pero no en los términos de la vieja oligarquía europea y mucho menos en los de los dirigentes de países totalitarios. En la oligarquía americana apenas funciona el principio hereditario ni las lealtades. Se trata de diferentes sectores que apenas comparten otro principio aglutinante que seguir siendo ricos. Y ya que eres tan amigo de la erudición, te recomiendo un libro reciente, «The rise and decline of nations», cuyo autor, Mancur Olson, sostiene que una sociedad con un Establishment muy cerrado en sí mismo termina por destruir su propia fuerza. Olson afirma que cuando un grupo ha estado en el poder mucho tiempo termina modificando a su favor las reglas del juego, mediante privilegios, proteccionismos, monopolios, etcétera. Ello congela la energía de otras fuerzas sociales, mientras la clase dominante se ablanda y termina pudriéndose. El caso típico es Inglaterra, con antecedentes en el Japón feudal o la Francia prerrevolucionaria y, para salir de ahí, hace falta una guerra o una revolución. Estados Unidos ha tenido siempre una habilidad especial para su autorregeneración, mediante diversas fórmulas. La más obvia es la actitud abierta a la emigración, de la que el ejemplo hispano contemporáneo son los cubanos ricos que pasaron de la prosperidad relativa en una isla cuasi feudal a más prosperidad en un continente libre. Otras fórmulas son la movilidad geográfica, la falta de respeto por las tradiciones, que nos lleva a arriesgarnos. Incluso la intervención gubernamental, que en el caso de las becas para veteranos de guerra rompió la estructura elitista de la enseñanza superior y la transformó en una ancha plataforma meritocrática. Olson sostiene, y yo comparto su opinión, que ninguna sociedad tiene tanta habilidad como la americana para manejar el desorden, lo que yo he llamado la fragmentación social.

S.—¿Tú crees que cabe esa regeneración a pesar de la enorme apuesta americana a la contención del comunismo internacional, a los gastos militantes, a la inmensa deuda exterior?

W.—Yo creo que sí; en parte porque el período imperial está en las últimas. Continuando con la erudición, quiero hacerme eco del aún más reciente libro de Paul Kennedy, «The rise and fall of the Great powers». En él documenta la conexión entre crecimiento económico y poderío militar a lo largo de los últimos cinco siglos, concluyendo que cuando las obligaciones militares exceden la riqueza disponible para el compromiso bélico, comienza el declive de los imperios. Estados Unidos, como la Unión Soviética, necesitan reducir sus compromisos internacionales, porque la inversión doméstica se hace inevitable y otros países sin esos compromisos, como Alemania, Japón, les están superando en desarrollo tecnológico y poderío económico. Así entiendo yo el pacto Gorbachev-Reagan, aunque éste sea al presidente anticomunista más militante desde la segunda guerra mundial.

S.—¿Y crees que la oligarquía americana sabrá aceptar el reto?

W.—Yo creo que el Establishment está empezando ya el cambio a la inversión doméstica, entre otras razones porque de no ser así nos convertiríamos en un país tecnológica y financieramente colonizado. Ya hay demasiada inversión europea y asiática en nuestra planta industrial, en nuestro mercado de valores, incluso en nuestra geografía inmobiliaria.

Y.—¿Y va a ser un asunto de volverse de espaldas al resto del mundo?

W.—Yo creo que no, y aquí debo hacer una apostilla que interesa a tus propósitos. Uno de los retos de la América emergente es reconquistar ideológica y económicamente a la America iberoamericana. Bastantes torpezas y bastantes tropelias se han cometido en la última década, con el riesgo de alienar aún más a los latinoamericanos que, pese a todo, no han querido o no han sido capaces de crear una unidad superior, una federación política o económica. Parte del nuevo reto americano es tender nuevos lazos hacia el sur, en una asociación que no tenga los signos humillantes de la pasada dependencia, y así aumentar las dimensiones de un mercado hemisférico, abierto a Europa por el este y a Asia por el oeste, pero bastante autosuficiente.

S.—¿Y tú crees que América latina aceptará ese juego?

W.—No lo sabe nadie. Yo creo que a la larga sí, partiendo de la habilidad del Establishment americano por hacer ofertas maduras y responsables. Y ahí es donde entran los hispanos de Estados Unidos. Ellos tendrían que ser los mediadores de ese nuevo pacto de las Américas que los futurólogos de estilo diferente al mío —los generalistas proféticos— están tratando de diseñar. A mí me parece que, en aras de la continuidad y de la tradición, el asunto tiene que empezar por ser económico, pactos de apertura de mercados, renegociación de la deuda. Otros hacen más hincapié en la apuesta política, en un plan de ayuda a América central, en el cambio de la simbología de la dominación, pero, en todo caso, con la participación importante de los hispanos de acá.

## 2. *Jean Claude, el observador europeo*

Jean-Claude es un joven profesor francés de filosofía, que lleva dos años entre París y California, disfrutando de lo que podría llamarse una beca de multiculturalidad. Versado en las nuevas tendencias del pensamiento europeo, trata de entender la escena intelectual americana por la que se declara fascinado.

S.—¿Tú ves algún parecido entre el racismo europeo actual y la xenofobia del US english?

J.C.—Desde luego que lo hay, en niveles de interioridad psicológica muy elemental, pero yo no quisiera quedar atrapado en una discusión de universales trasatlánticos. Yo estoy preocupado por las cosas que están pensando en mi país al respecto, pero la fenomenología americana me parece distinta. Además, la América emergente, como tú la llamas, parece tener más recursos para resolver la complejidad y a la vez presenta un discurso fundamentalista más flexible, a mi juicio, que el europeo.

S.—¿Por qué no empezamos, sin embargo, por una discusión más general? La descolonización postbélica se encuentra, a ambos lados del Atlántico, y en Africa y en Asia, con dos aporías básicas: la primera es la reimposición de una dominación económica cuyas claves impiden al Tercer Mundo acercarse al bienestar del primero, sacudido además en veinte años por dos recesiones importantes. La segunda es la reaparición de fundamentalismos de corte nacionalista que, de un lado, dan forma popular a la oposición a tales neocolonialismos y, por otra, se constituyen en plataforma de afirmación de identidades culturales que se niegan al cosmopolitismo importado. Con lo cual resulta que hay una ruptura del modelo socialista de solidaridad internacional obrera, que calentaba a las izquierdas en los años cuarenta y cincuenta y, por otra, hay un resurgimiento del localismo subrayado por la aceptación científica y política de la multiculturalidad.

J.C.—Bueno, no metas demasiadas cosas en el mismo saco. En Europa y sus alrededores estamos sobrecogidos por el fundamentalismo musulmán, que tiene esas causas y algunas más. Porque no se trata sólo del jomeinismo, sino de un variado muestrario de ismos de los cuales el iraní es el más compacto. Lo más dramático, a mi juicio, es la reinstauración de la guerra santa en respuesta a la cerrazón israelí a negociar de otro modo la crisis palestina. Pero sería un reduccionismo simplista considerar a los fundamentalismos tercermundistas desde una perspectiva exclusivamente política. Lo que estamos presenciando es un fracaso de los ideales de la reconstrucción postbélica, simbolizados en aquellas declaraciones de la ONU y de la UNESCO a favor de una negociación justa y racional de intereses, lo que alguien ha llamado la segunda etapa de la Ilustración.

El discurso de la Ilustración, el racionalismo, el cosmopolitismo, la solidaridad internacional e interclasista, construido en oposición a los valores del Antiguo Régimen, tuvo un primer rechazo en el romanticismo, cuya versión alemana, por diferentes senderos y con varias concausas, nos llevó al totalitarismo en su versión Volkgeist. Su versión comunista provoca una polarización posterior. Oriente contra Occidente, en la que hemos estado prendidos hasta ahora, olvidando la otra dimensión de la Ilustración, la causa de la justicia, que hoy ha explotado en forma de fundamentalismos tercermundistas. Mientras, la inteligentsia europea da a luz a la postmodernidad, que a la vez que significa otra negación de la continuidad de la Ilustración, entroniza una especie de arbitrismo donde todo vale, donde la multiculturalidad se transforma en objeto de consumo para que los jóvenes vayan de la fabada al cous-cous y de los safaris al Sahara a las islas del Pacífico sur, buscando un sincretismo de sensaciones.

S.—¿Y eso tiene versión americana?

J.C.—No. Por contra, me ha sorprendido la expansión del marxismo, en medios académicos americanos, como metodología. Hoy, te aseguro, se utiliza más el marxismo científico en el mundo intelectual americano que en el europeo. Hay como una necesidad de rigor analítico frente a la trivialización de la cultura de masas y a la vez una mayor inocencia en la utilización de la metodología. Probablemente, por la distancia del mundo europeo que ha vivido la crisis del marxismo de una forma existencial. Los americanos descubren el análisis marxista en estado casi puro y naturalmente quedan fascinados por su capacidad para integrar y explicar tantas cosas de su fenomenología, especialmente el confico, que no es muy inteligible con el funcionalismo «a lo Parsons».

S.—¿Incluyendo el tema de las minorías?

JC.—Desde luego. Lo que ocurre es que a la interpretación de esa mezcla de fundamento clasista y cultural de las reivindicaciones de las minorías le pasa lo mismo que al marxismo post Marx, que no sabe que hacer con el rebrote nacionalista tras la crisis de la solidaridad obrera en las guerras mundiales. Como sabes, después de muchos debates, dentro y fuera de las Internacionales socialistas, el comunismo ruso, y, en concreto, Stalin, se inclinó por la definición étnica de la nación, haciendo más contradictorio aún el socialismo de exportación. Entre paréntesis, te diré que los resultados de esa suma de socialismo y patriotismo local están dando en algunos lugares del Tercer Mundo, especialmente en Africa, un resultado tan desastroso como las viejas dictaduras de derecha.

S.—¿Tú sabes el porqué?

JC.—Creo que sí y algunos intelectuales hispanos lo ven como yo. El discurso de la Ilustración, en su primera y segunda etapa, defendía al individuo de la opresión de unos poderes que se atribuían la definición de las virtudes colectivas, incluyendo el patriotismo. La Ilustración insiste en el libre consentimiento del individuo, en la adhesión racional a los pactos grupales. En una terquedad recurrente que se levanta contra cualquier manipulación autoritaria de las creencias individuales. Pero los viejos y nuevos romanticismos subrayan la pertenencia, la disolución del individuo en la conciencia nacional, en la cultura grupal y si, para colmo, eso se hace desde el socialismo, el tirano de turno tiene una legitimación mayor para imponer su dictadura.

S.—Pero eso tiene poco que ver con la causa de las minorías en América.

JC.—Sí tiene que ver, aunque no de la misma manera. El discurso etnocentrista que personas como Levi-Strauss ponen de moda en los ámbitos de UNESCO significa, en un primer momento, una reacción contra el colonialismo cultural, pero pronto desemboca en poner al mismo lugar, juzgar con el mismo rasero, la larga marcha de la humanidad en la afirmación de principios fundamentales de libertad y justicia, con los particularismos de esta o aquella tribu. Nadie niega el carácter ecológico de la cultura, pero si algún valor tiene el progreso es el de generalizar unas constantes que permiten al individuo esa flexibilidad de comportamiento que le separa de los animales. Justamente la Ilustración consiste en poner distancia entre el individuo y el grupo, en dar a las personas un margen de indefinición para que construyan su propia vida. Esto es hoy mucho más viable, precisamente con las emigraciones, físicas o mentales.

S.—Pero las minorías protestan contra una idea del proceso que ha canonizado la occidentalización.

JC.—Y tienen razón. Pero yo no creo que la industrialización de énfasis en capital o el monetarismo financiero o la modernización cultural a la americana sean hijos legítimos de la Ilustración, sino, mucho me temo, que en algunos casos no son sino una vuelta a la imposición forzosa de los poderes fácticos, los herederos morales de los estamentos superiores del Antiguo Régimen. Es legítimo que algunos pueblos busquen en sus raíces la forma de reaccionar frente a la dominación o a la uniformidad, pero ello no invalida que en cada cultura se desarrolle ese espacio de indefinición, esa voluntariedad de las adhesiones sociales, que hace más valiosa, aunque más arriesgada, la aventura humana y que nos distingue, en el siglo XX, de los oscurantismos medievales, con su derecho divino de los reyes, sus siervos de la gleba y su derecho de pernada.

S.—¿Tú identificarías la causa de las minorías en América con el esfuerzo de las etnias morenas en Europa?

JC.—En términos laborales, hay similitudes evidentes, el hacer los trabajos duros, etcétera. Pero creo que la sociedad americana ofrece más facilidades para la ascensión individual, y ahí está la clase media hispana, o negra, o asiática, y también creo que el mestizaje es menos temido que el Viejo Continente. Tengo la impresión de que la afirmación individual es más realizable en América, aunque a veces se traduzca en una realización personal trivial. Y por lo que yo hablo con hispanos, especialmente con chicanos universitarios, muchos aspiran a un sincretismo cultural, a la aceptación voluntaria de lo que cada uno quiere retener de cada cultura.

S.—Una especie de supermercado de la identidad.

JC.—Sí, tiene un poco esa dimensión inocente y trivial a la vez, lo cual es, a mi juicio, una consecuencia de la riqueza americana. Por eso yo entiendo que las afinidades raciales no tienen en América el tinte dramático de las nacionalidades europeas que todavía, en las reivindicaciones clásicas de valones contra flamencos, de irlandeses contra ingleses, incluso de corsos contra franceses, poseen connotaciones del romanticismo prebélico y el recuerdo de las confrontaciones violentas. En cierto sentido, ello se debe a la estrechez geográfica e institucional de Europa y al peso de la historia. América da la impresión, cuando viajas en coche, de ser todavía un Continente medio vacío, a medio hacer, potencialmente capaz de una gran variedad de relaciones y pactos.

S.—Aunque luego el gran unificador sea el dinero.

JC.—Sí, eso se nota mucho. Pero los europeos también somos codiciosos, lo que pasa es que sabemos disimularlo mejor. Nosotros tenemos más códigos, más reglas de juego, en último término. Por eso el mito americano, el mito del cambio, de la ruptura con la identidad anterior, ha calado tanto en el Viejo Mundo y muchas cosas nuevas que están pasando en Europa tienen la impronta de la americanización. Porque tú vienes, por ejemplo, a California, y deseas con todas tus fuerzas que siga abierto el mito, que haya en el mundo parecidas lagunas de indefinición, sendas abiertas para una aventura humana menos prefijada, donde quepan todas las locuras, las potencialidades no exploradas del ser humano que, si ha sufrido de algo, ha sido, sobre todo, de los encasillamientos y las constricciones de su cultura propia.

S.—O sea, que culturas minoritarias sí, pero sin dominio eminente.

JC.—Exactamente. Yo estoy a favor de la faceta material y política de la reivindicación hispana, ¿cómo no iba a estarlo?, de la lucha contra la discriminación. No lo estoy tanto si el precio de ello es una militancia y una introspección grupal que disminuya los horizontes individuales. Es, una vez más, la vieja tensión entre pertenecer para ser fuerte o quedarte solo para ser libre.

# Orientación bibliográfica y datos básicos

La fenomenología de los hispanos, como de todos los grupos de creciente visibilidad, está atrayendo tanta atención que crece exponencialmente la cantidad de centímetros de las anaquelerías, bibliotecas y archivos destinados a almacenar el material correspondiente, con su versión audiovisual hoy inevitable.

En la incursión bibliográfica que recomiendo seguro que se me han olvidado títulos y autores a los que solicita su perdón un colega apresurado y demasiado seguro de sí mismo.

Los últimos años han sido testigos de textos sociológicos estrictamente dedicados a los hispanos. De entre ellos destaco tres, escritos en inglés. Son: «Latin Journey», de Alejandro Portes y Robert Bach (University of California Press, 1985), dedicado sólo a cubanos y mexicoamericanos. «Hispanics in the United States», de Joan Moore y Harry Pachon (Prentice Hall, 1985) que, en cierto sentido, se contrapone ideológicamente con el otro, «The Hispanics in the United States», de L. H. Gann y Peter J. Diugnan (Westview Press, 1986). Los dos últimos, como los dos míos, cubren los tres principales subgrupos hispanos y desbrozan, en capítulos similares, la fenomenología del caso.

Esta se halla también en los varios libros publicados sobre minorías en Estados Unidos, entre los cuales destaca el de Charles Marden y Gladys Meyer: «Minorities in American Society» (Litton Educational), cuya quinta edición es de 1978.

Recientemente acaba de publicar el Instituto de Cooperación Iberoamericana, 1988, un libro colectivo, «Hispanos en los Estados Unidos», editado por Rodolfo J. Cortina y yo mismo, en el cual hay una extensa bibliografía sobre el tema, recogida y comentada por Alejandro Portes.

Ya en relación a los subgrupos, sobre los chicanos hay más libros que sobre ningún otro. El colectivo editado por John H. Burma: «Mexican American in the United Stated» (Schenkman, 1970) es ya un clásico y ha sido precedido y continuado por otros similares. Quizá pudieran citarse aquí obras sobre los chicanos desde perspectivas europeas, como el de Tomás Calvo Buezas, «Los más pobres en el país más rico», el de Alfredo Jiménez Núñez, «Hispanos de Nuevo México», o la mixtura de nombres europeos y americanos que aparece en «Missions in conflict. Essays on US Mexican Relation and Chicano Culture», editado por Renate von Bardeleber, Dietrich Briesemister y Juan Bruce-Novoa para Gunter Navv Verlag, en 1986.

Abundan los estudios concretos y las historias, como el de Mario T. García: «Dessert Inmigrants. The mexicans of El Paso 1880-1920» (Yale University Press, 1981).

De entre los libros colectivos sobre los cubanos volveré a citar «Cubans in the United States», editado por Miren Uriarte y Jorge Cañas para el Center for the Study of the Cuban Comunity de Boston (1980).

Y para los puertorriqueños, además de los que cité en mi primer libro, subrayo aquí el de Félix Padilla: «Puertoricans Chicago», (1987).

Los temas analizados en el tercer capítulo tienen cultivadores especialistas y publicaciones and hoc. Citaré algunos. Para demografía. Joseph Fitzpatrick y Douglas Gurak: «Hispanic Intermarriage in New York City». Hispanic research Center, de Fordham University, 1979.

«The number of ilegal migrants of Mexican origin in the US», de Frank Bean et ália, en «Demography», febrero 83.

Oscar Martinez, con «Ciudad Juárez». El auge de una ciudad fronteriza a partir de 1848. Fondo Cultura, 1982.

Y «Mexican American fertility rates», de Frank Bean y Gray Swicegood, Center for HA Studies, Austin, 1985.

Sobre economía y trabajo hay bibliografía general y especializada, aunque predomina ésta, bastante concentrada en cubanos y mexicoamericanos. Véase «What's an Ethnic Enclave?», de Portes y Jensen, en «American Sociological Review», diciembre 87. «Cubans in South Florida. A social science approach», de Antonio Jorge y Raul Moncarz. «The political economy of cubans in South Florida», de los mismos autores, publicado por el Institute of Interamerican Studies de la Universidad de Miami, en marzo de 1987. Y «The social origins of the cuban enclave economy of Miami», de Alejandro Portes. «Sociological Perspectives», octubre de 1987. Sobre el otro subgrupo, véase «Inmigration and its consequences». «Confronting the problem», de Frank Brean y Teresa Sullivan, en Society, junio de 1985. Por el mismo autor, Lindsay Lowell y Lowell Taylor: «Undocumented mexicans inmigrants and the earnings of the workers in the United States», University of Texas at Austin, 1986, y «The tertiary labor force and the roles of undocumented mexican labour in American economy, de Juan L. González, Universidad de El Paso, 1987. También, «The politics of entrepreneurship: Mexican American Leadership in El Paso», por Roberto Villareal, mimeo, 1987.

Sobre educación destaca «Multiethnic Education», de James, A. Bank, Alleyn y Bacon, 1981, y «The effectiveness of bilingual education», de Jim Cummins, Ontario Institute for Studies in Education, 1982.

La Texas Association for Bilingual Education publicó, en octubre de 1987, una graciosa, y a veces dramática, «Antología de las experiencias de los niños hispanos en las escuelas», contadas por ellos mismos.

Los temas de educación y lengua van muy unidos en la literatura. Como el anterior, «La minoría etnolingüística hispana y la política lingüística en Estados Unidos», de Ernesto Barnach-Calbó, OEI, 1983. «Bilingual education. An Overview», de Pamela McCollins, mimeo. O «Bilingual hispanic children on the US Mainland. A review of research», por Lloyd M. Dunn, del American Guidance Service, 1986, donde se recoge la mayoría de la literatura existente.

Sobre política, «Hispanics in American Politics. The search for political power», de Maurilio E. Vigil, Univ. Press of America, 1987, e «Ignored Voices. Public opinion poll and the Latino Community», de Rodolfo de la Garza, Universidad de Texas en Austin, 1987. El número de otoño de 1985 de la revista «Foreign Policy» trata de la repercusión de los hispanos en la política exterior norteamericana. Es interesante observar la repercusión periodística del poder local hispano. Véanse al respecto los números de febrero del «Miami Herald» con la serie «Miami. The power elite».

Sobre temas institucionales, «Evaluation and identification of Policy Issues in the Cuban community», por el Cuban National Planning Council, 1980. «The puertorrican child in New York Citi. Stress and Mental Health», por Ian Camino, Brian Early y Lloyd Rogles, Fordham University, 1980.

La cultura ofrece la mayor cantidad de análisis. Así: «Latina Women in Transition», de Ruth E. Zambrana, editora, Fordham University, 1982.

«Critical response to the Zoot Suit and Corridos», Carlos Norton. Chicano Studies. El Paso, 1984.

«From Hell itself. Americanization of Mexico North Frontier (1821-46)», de David Weber. Center for Inter American and Border Studies. El Paso, 1983.

«The border. Special Report», de El Paso Herald, verano 1983.

«La asimilación cocultural. Vigencia existencial para los hispanoparlantes en USA». Seda Bonilla. Mimeo, 1985.

«Chicano Household, the structure of parental information networks», de Manuel L. Carlos. Santa Barbara, 1981.

Alejandro Portes, «The rise of Ethnicity». American Sociological Review, 1984.

«Ethnic Relations in the Cuban Comunity». Cuban National Planning Council, 1986. Del mismo. «Miami Mosaic», 1986.

«Ame Rican», de Tato Laviera. Arte Publico Press, 1985.

«Chicana Voices. Intersections of class, race and gender». Center of Mexican American Studies. Austin, 1986.

«Flor y Canto». An anthology of Chicano Literature. Pajarito Publications. Austin, 1985.

La bibliografía sobre la América del pasado y presente, así como de su porvenir, es también muy abundante. En la redacción de este libro me he basado sustancialmente en los textos que cito en los capítulos dos y cuatro.

Junto al material nativo, destacan cada vez más los análisis y las prospecciones que sobre América se hacen desde fuera de ella. Quizá el ejemplo más conocido sea «America and the Americans», de Edmund Favcett y Tony Thomas, Fontana, 1982. Otro sociólogo español, Amando de Miguel, practica el género futurológico en «La bola de cristal, los intelectuales norteamericanos y el futuro del capitalismo». Argos Vergara, 1984.

Tanto América II como la mayoría de los libros que cito, contienen extensas bibliografías, que deben complementarse con el repaso de los últimos años de las revistas relacionadas con el tema, tipo «American Studies», sin olvidar el creciente papel interpretativo de la realidad americana que ejercen las revistas de carácter general, como «Time», «Newsweek» o «News & World Report», especialmente en sus frecuentes reportajes en profundidad o «cover stories». En este sentido, y por citar algún ejemplo, mencionaré los números de «Time», de 13 de junio de 1983, sobre Los Angeles, el especial del 8 de julio de 1985, sobre emigrantes, la cambiante faz de América, el de 11 de julio de 1988, sobre la cultura hispana, y el de 25 de enero de 1988, de «Newsweek», sobre Miami, la Casablanca de América.

# DATOS BASICOS SOBRE HISPANOS

*Fuente:* Buró del censo. Departamento de Comercio del Gobierno Federal norteamericano.

## PERSONAS DE ORIGEN HISPANO: 1987
(Millones)

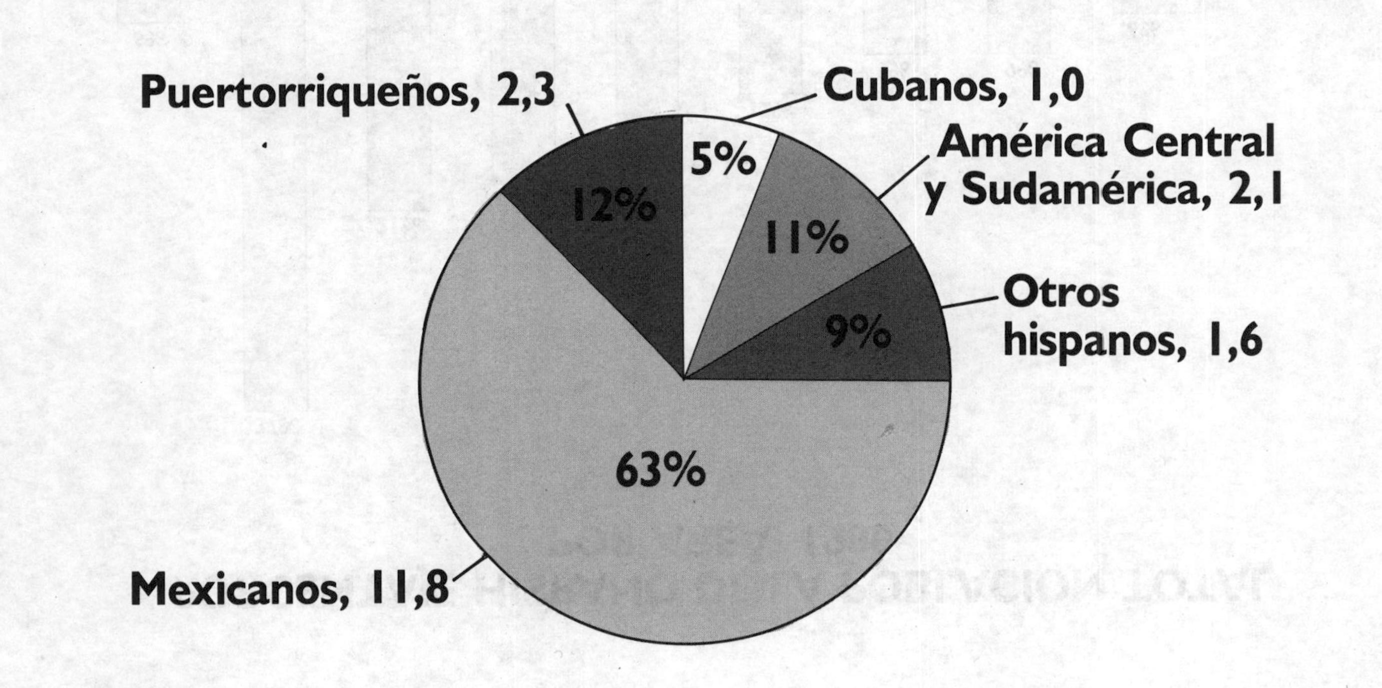

# PORCENTAJE HISPANO DE LA POBLACION TOTAL POR AREA: 1980

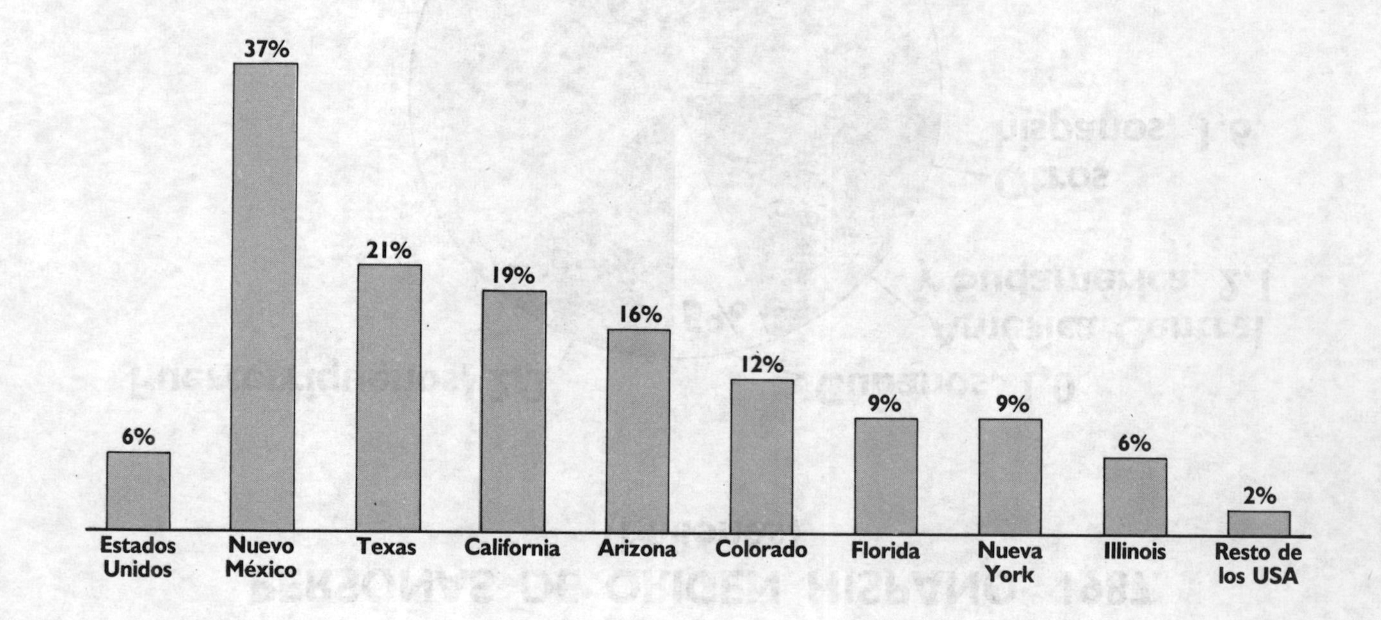

## COMPOSICION FAMILIAR HISPANOS Y NO HISPANOS: 1987
(Porcentaje de familias)

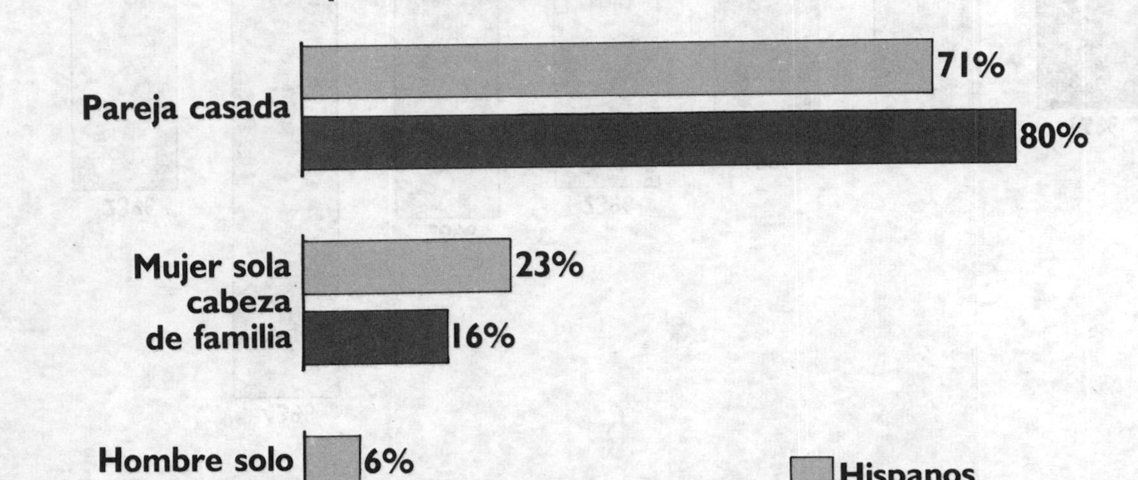

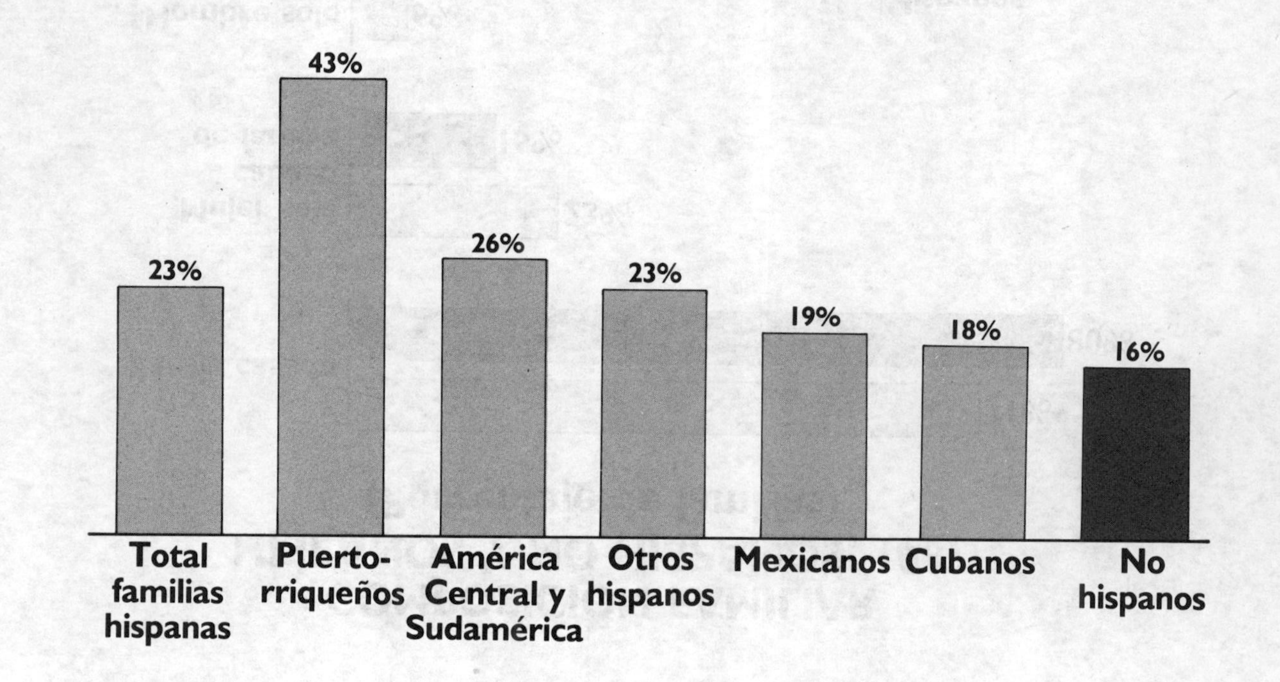
FAMILIAS MANTENIDAS POR MUJERES
(Porcentaje de familias)
23%
43%
26%
23%
19%
18%
16%
Total familias hispanas
Puerto-rriqueños
América Central y Sudamérica
Otros hispanos
Mexicanos
Cubanos
No hispanos

## TAMAÑO MEDIO DE LA FAMILIA: 1987

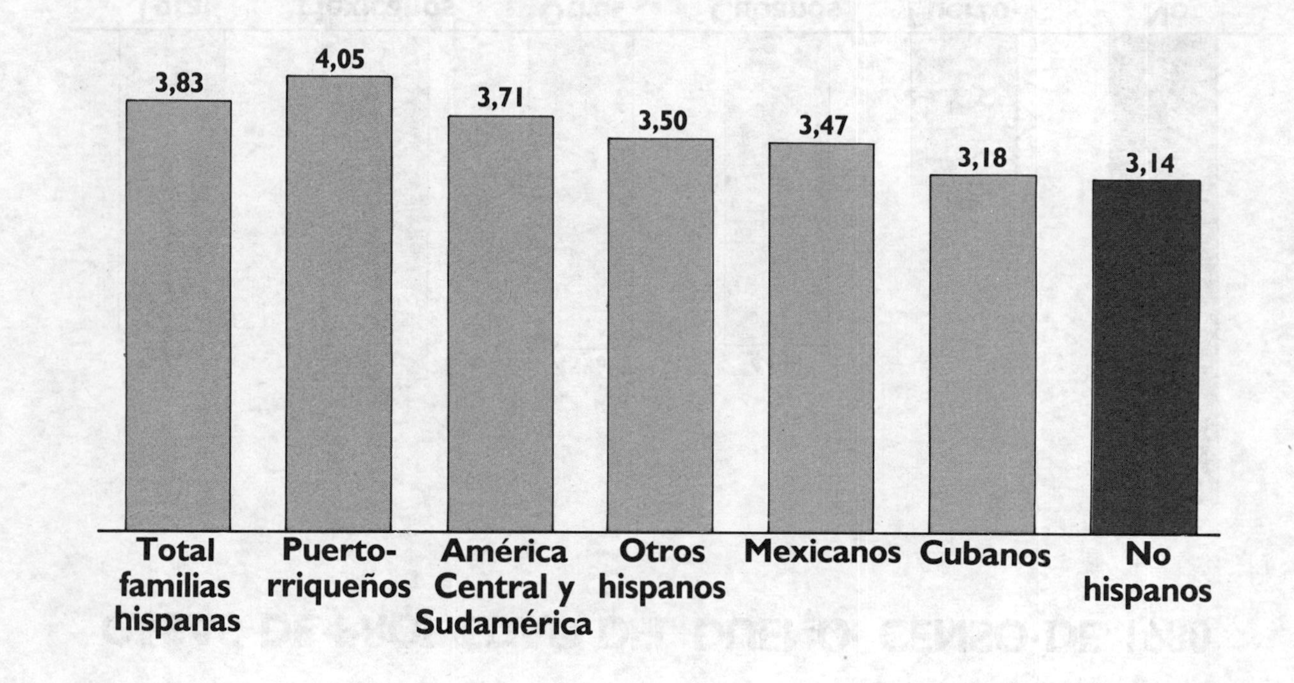

# CASAS DE PROPIEDAD DEL DUEÑO: CENSO DE 1980

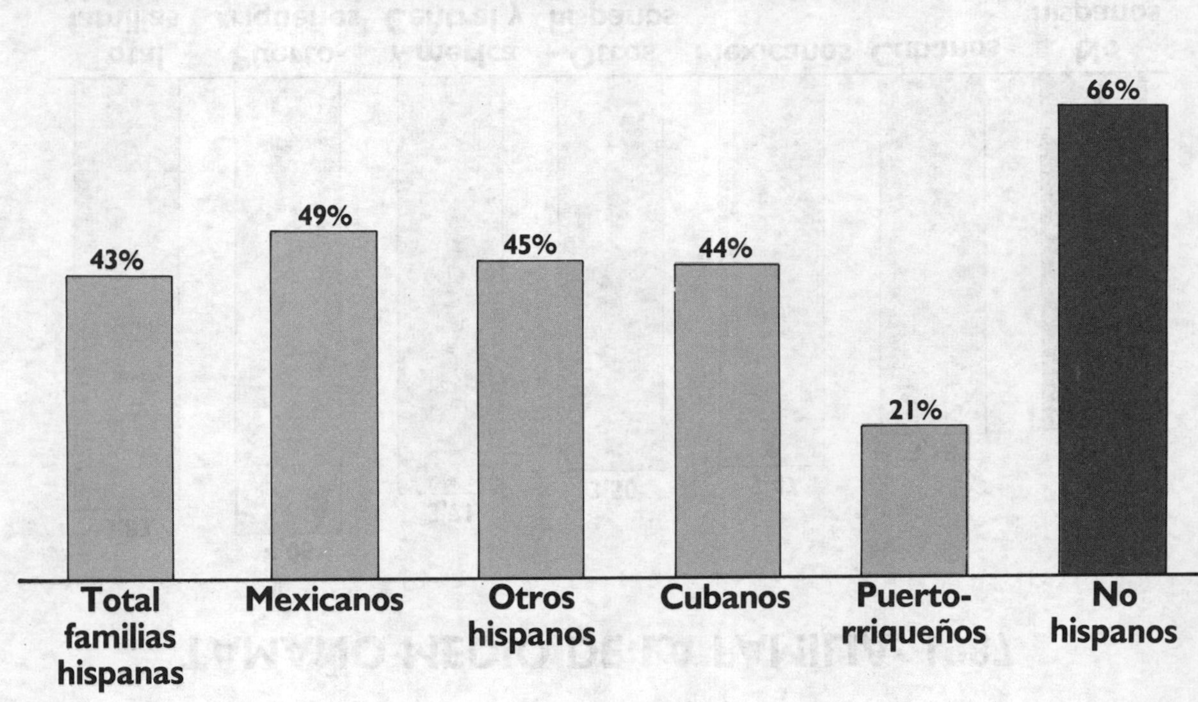

# RESULTADOS ESCOLARES DE PERSONAS DE 25 AÑOS Y MAS: 1987

## GRADUADOS DE ENSEÑANZA SECUNDARIA

## ENSEÑANZA SUPERIOR 4 AÑOS O MAS

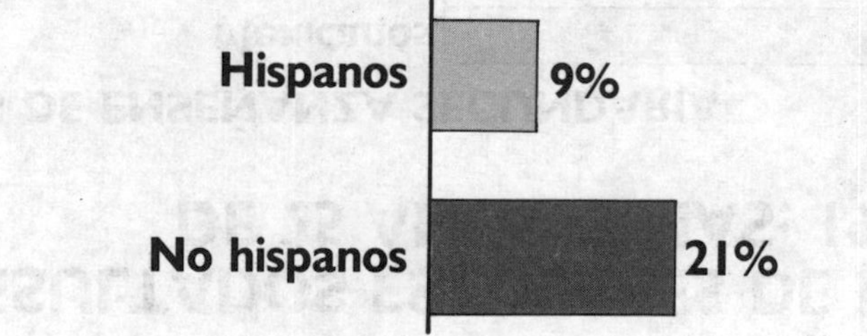

# RESULTADOS ESCOLARES DE PERSONAS DE 25 AÑOS O MAS: 1987

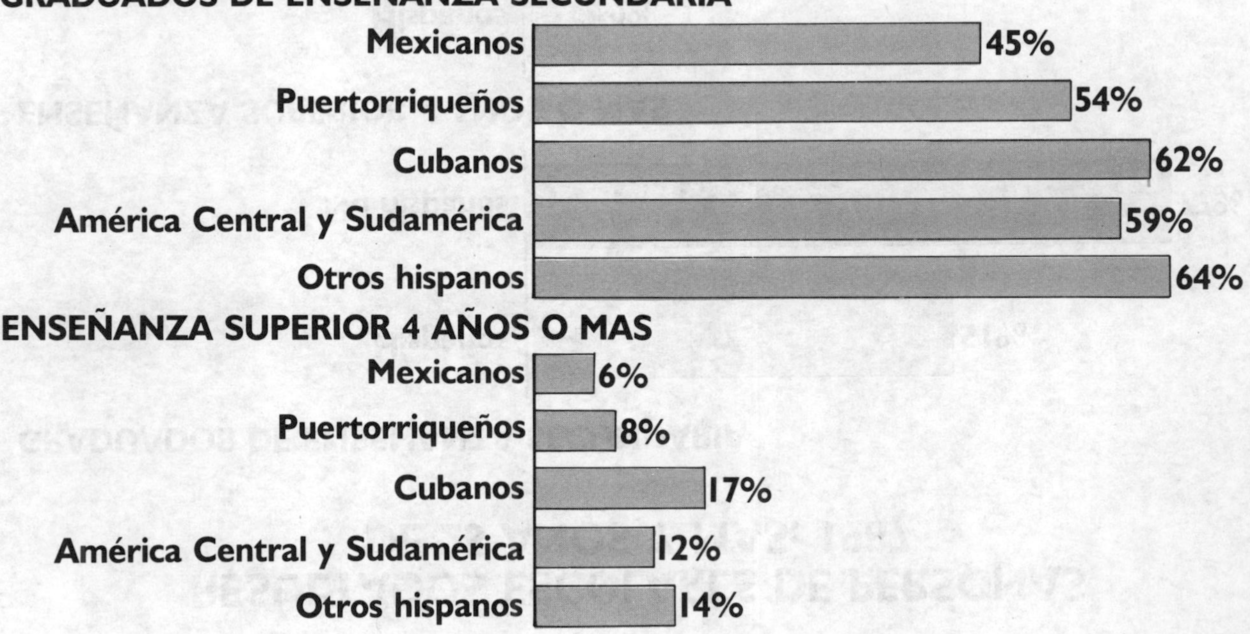

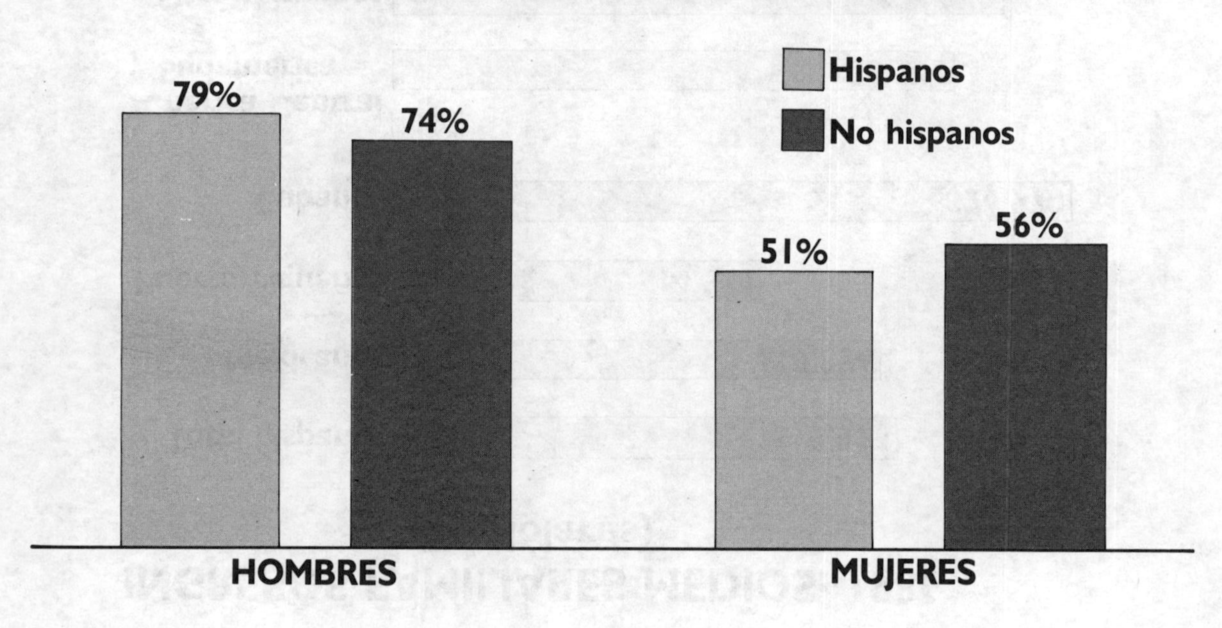
PARTICIPACION EN LA POBLACION ACTIVA
DE PERSONAS DE MAS DE 16 AÑOS: 1987
Hispanos
No hispanos
79%
74%
51%
56%
HOMBRES
MUJERES

## INGRESOS FAMILIARES MEDIOS: 1986
(En dólares)

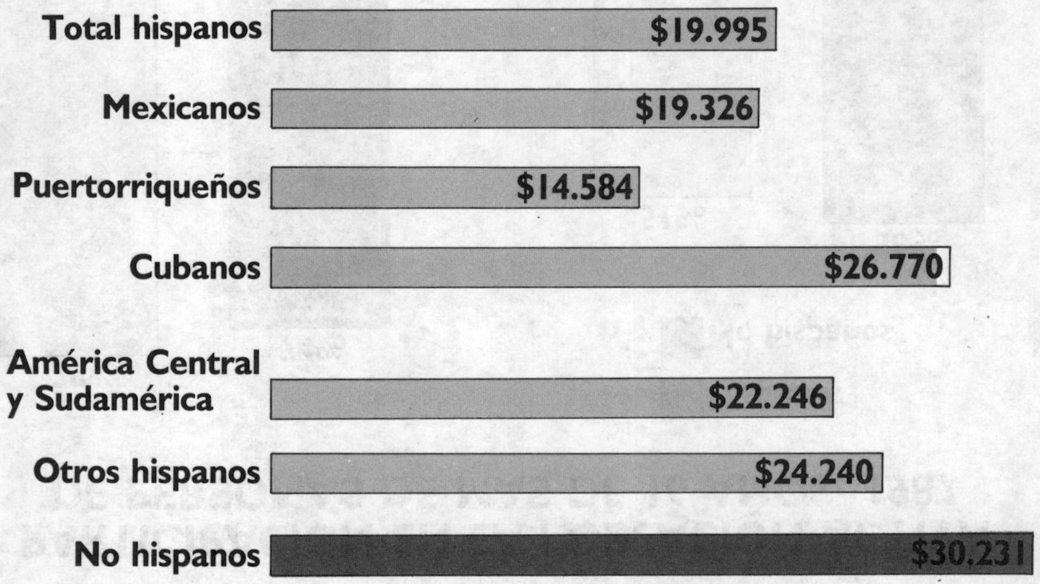

Total hispanos $19.995

Mexicanos $19.326

Puertorriqueños $14.584

Cubanos $26.770

América Central y Sudamérica $22.246

Otros hispanos $24.240

No hispanos $30.231

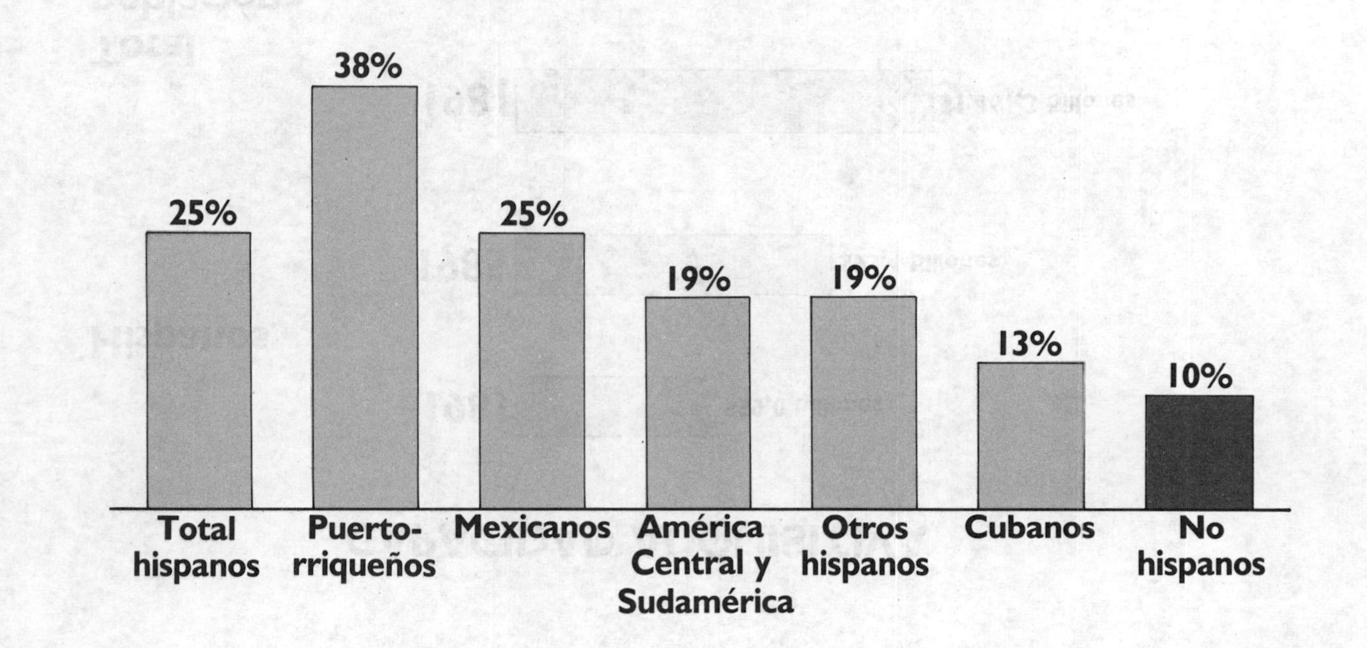
FAMILIAS POR DEBAJO DEL NIVEL DE POBREZA EN 1986
(Porcentaje de familias)
25%
38%
25%
19%
19%
13%
10%
Total hispanos
Puerto-rriqueños
Mexicanos
América Central y Sudamérica
Otros hispanos
Cubanos
No hispanos

## CAPACIDAD ADQUISITIVA

Hispanos

1981 $59,0 billones

1985 $93,4 billones

Total población

1981 $1.461,3 billones

1985 $2.003,3 billones

**ENCUESTA DE EMPRESAS PROPIEDAD DE HISPANOS 1982**

| | Número de empresa |
|---|---|
| Total hispanos | 248.000 |
| Mexicanos | 143.000 |
| Cubanos | 37.000 |
| América Central y Sudamérica | 27.000 |
| Otros hispanos | 27.000 |
| Puertorriqueños | 15.000 |

## CONCENTRACION GEOGRAFICA DE EMPRESAS DE HISPANOS

| Area metropolitana | Número de empresas |
| --- | --- |
| Los Angeles | 30.000 |
| Miami | 25.000 |
| New York | 12.000 |
| San Antonio | 12.000 |
| Houston | 9.000 |

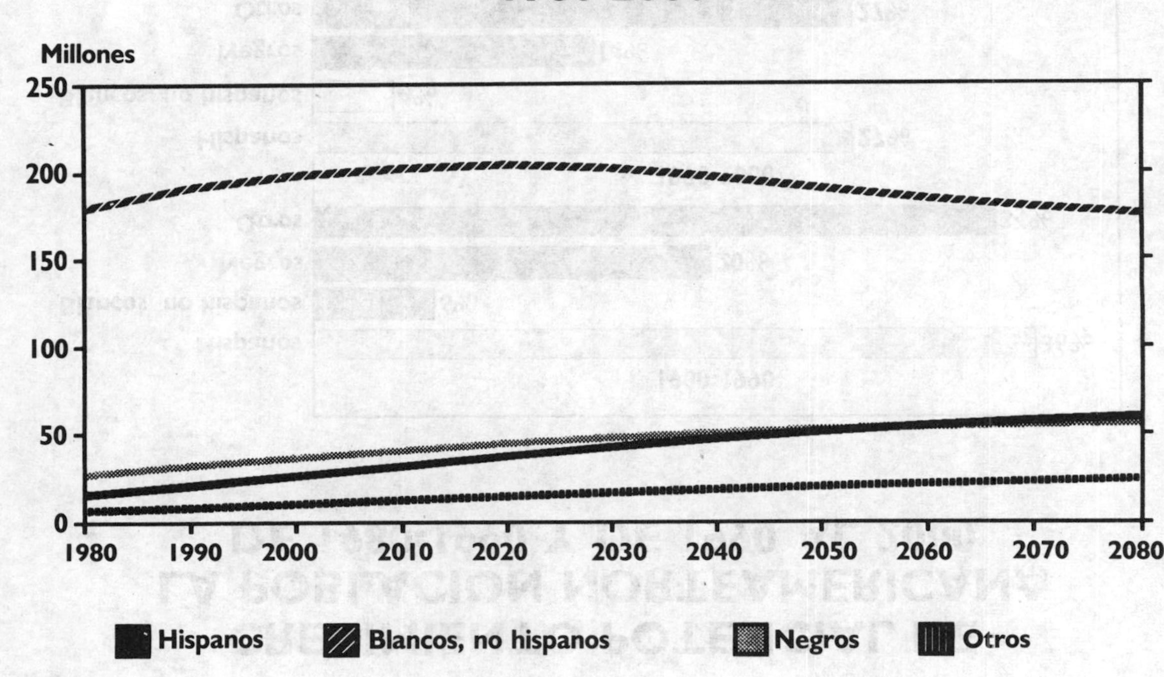
PROYECCION DE POBLACION USA,
1980-2080
Millones
250
200
150
100
50
0
1980
1990
2000
2010
2020
2030
2040
2050
2060
2070
2080
Hispanos
Blancos, no hispanos
Negros
Otros

# CRECIMIENTO POTENCIAL DE LA POBLACION NORTEAMERICANA DE 1980-1990 Y DE 1990 AL 2000

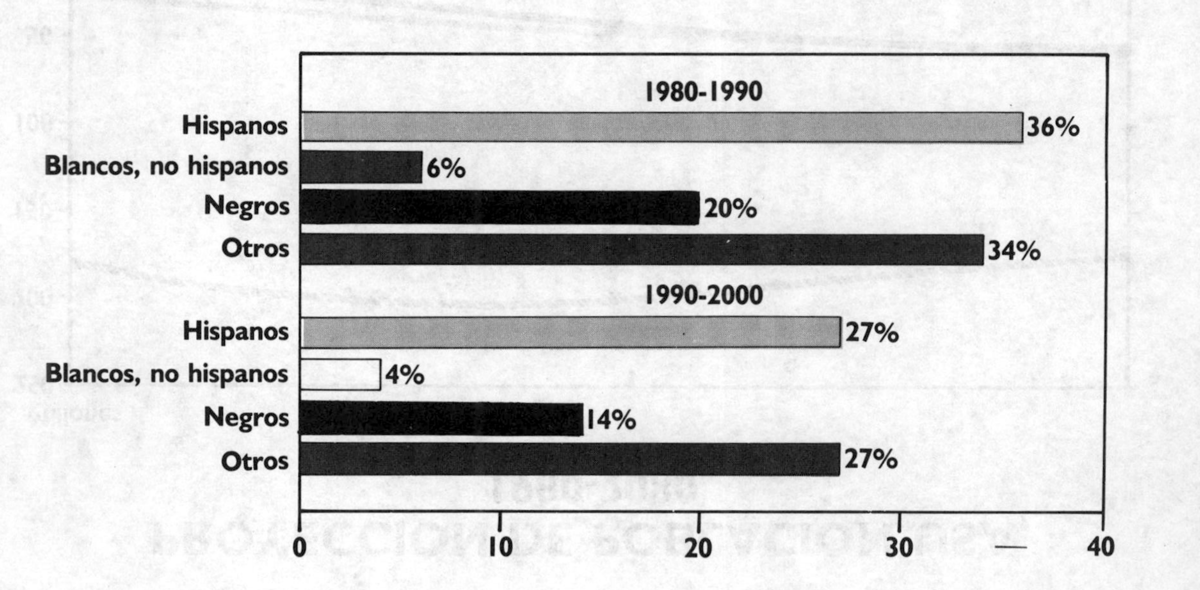